ADELINA'S

KITCHEN 🌿 CUCINA

DROMANA

First print: 2014
Second print: 2015
Third print: 2016

Photography: Adelina and Len Pulford
Cover and interior design: Georgina Walters
Typesetting: Green Hill Publishing
Publisher: Dromana Publishing

ISBN   978-0-9923392-3-4

Acknowledgements

A word of thanks to my mum Vincenza Fiorito for sharing with me her love of food. From an early age cooking was never a chore but a pleasure. Today, whether I cook traditional Italian dishes or something completely new, cooking still gives me pleasure.

Thank you for all the love Mum.

Adelina

I would like to thank my husband Len for his advice and support during this project.

Len is also the official "Taste Tester" at Adelina's Kitchen and is not keen to give up this role anytime soon.

Adelina

Adelina in Calabria
aged 4, 1956

About Adelina

ADELINA FIORITO PULFORD

Adelina started cooking for her family as a young girl of seven in the small Calabrian town of Cervicati in the Province of Cosenza, Italy. Adelina was still a young woman when her family migrated to Australia, her passion for cooking was so strong she enrolled at the William Angliss TAFE College and became a qualified Chef. After graduating Adelina worked at Campari Bistro as Head Chef, Scusami Ristorante, where she specialised in regional Italian cuisine and desserts. During this time Adelina also took part in pasta making demonstrations at Southbank and the Melbourne Food show. Adelina then joined Enoteca Vino Bar as a pastry Chef to create a range of traditional Italian biscotti, cakes, desserts and handmade pasta. Her passion for sharing her knowledge led to Adelina teaching at the cooking classes run by the Enoteca. Today Adelina teaches you about Italian Cooking at her cooking school "Adelina's Kitchen Dromana".

ADELINA FIORITO PULFORD

Adelina e' nata nel piccolo paese di Cervicati, provincia di Cosenza, in Calabria, dove dalla tenera eta' di 7 anni, ha imparato a preparare il pranzo quotidiano per i genitori che coltivavano le campagne. Da allora, la sua passione per la cucina Italiana ha fatto una grande parte della sua vita, anche quando la famiglia si trasferi' in Australia. Adelina ha frequentato la scuola alberghiera al William Angliss TAFE College, a Melbourne, dove ha ottenuto il diploma di cuoca professionista. Adelina ha lavorato come capo cuoca a Campari Bistro; al ristorante Italiano, Scusami, ha lavorate come cuoca pasticciera, e anche come cuoca specializzata nella preparazione della cucina regionale Italiana; Enoteca Vino Bar e' un'altro ristorante dove Adelina ha lavorate come cuoca pasticciera, e cuoca specializzata nella preparazione di biscotti e dolci Italiani, e la preparazione di paste regionali. Adelina ha condotto corsi di cucina di Pasticceria, Pasta e altri corsi di cucina Italiana, all'Enoteca Sileno.

Al momento, Adelina, gestisce una scuola di cucina Italiana, "Adelina's Kitchen Dromana".

From Adelina

Following my husband's retirement and a move away from Melbourne CBD to the Mornington Peninsula, I found myself with time on my hands, and really missing the kitchens I had worked in over the years.

Head Chef at Campari Bistro in Hardware Lane! 200 meals at lunchtime 5 days a week with just two ladies to assist! Pasta and risotto were firm favorites with the legal fraternity that ate there.

Then Scusami Ristorante in Southgate beside the Yarra River, where I made traditional Italian pasta by hand and the biscotti and desserts. Great experience.

Later on I joined the team at the Enoteca Vino Bar in Carlton and concentrated on desserts, cakes and traditional Italian pasta dishes. My last two years at the Enoteca Vino Bar were spent cooking and teaching at the Cooking Classes held there. Great Fun! Like I said I missed it all! Then I purchased a computer and found Facebook!

What a revelation! I started my own page "Adelina's Kitchen Dromana". I started posting recipes and photographing the food as I made it. I knew the recipes worked because I cooked them, experimented with them, sought great ingredients from accessible sources and interest in my page grew. Then I opened my cooking classes to share the knowledge I had accumulated over the years. I was back doing what I loved. And my Facebook Likes continued to grow.

Adelina's Kitchen Dromana now has more than 7,000 followers in 46 countries, speaking mostly English and Italian as well as a variety of other languages with some posts reaching 140,000 people. Just amazing!

Then people who liked my page and people who lived too far away to come to class asked the question, do you have a recipe book for sale? If not, why not!

" *I knew the recipes worked because I cooked them, experimented with them, sought great ingredients from accessible sources* "

Well here it is. The best and most popular recipes are included for your enjoyment in both English and Italian.

Adelina

learn

cook

enjoy

INDEX

WITH *naturally* GLUTEN FREE RECIPES GF

BISCUITS
BISCOTTI

Biscuits / Biscotti

ALASSIO'S KISSES WITH NUTELLA

250g hazelnut meal
125g caster sugar
3 egg whites
20g dark cocoa
30ml Frangelico
liqueur, for the ganache
150g Nutella
50g dark chocolate

Mix hazelnut meal, sugar, cocoa powder, egg whites and liqueur, in a large bowl; mix well, put mixture in piping bag fitted with a star nozzle, I used no. 13, and pipe small rounds of mixture on a baking tray lined with baking paper, bake in a preheated oven, 180 degrees for 15 minutes.

Meanwhile melt the chocolate and the Nutella in a small bowl over a baine marie, mix well until the mixture is smooth, cool completely; when the biscuits have cooled down sandwich 2 biscuits with a little chocolate ganache, refrigerate for 30 minutes before serving.

BACI DI ALASSIO CON NUTELLA

250g farina di nocciole
125g zucchero semolato
3 albumi
20g cacao amaro
30ml di Frangelico,
per la ganache al cioccolato
150 di Nutella
50 g di cioccolato amaro

Mescolate bene, in una ciotola capace, la farina di nocciole, lo zucchero, il cacao, gli albumi ed il liquore; mettete l'impasto in un sac a poche con un beccuccio stellate, io ho usato uno numero 13, fate dei piccoli biscotti, posateli su una teglia foderata con carta da forno, fate cuocere a forno riscaldato, 180 gradi per 15 minuti; nel frattempo fate sciogliere a bagno maria il cioccolato e la Nutella a fuoco basso, in una piccola ciotola, mescolate fino a quando l'intingolo e' liscio, fate raffreddare.

Quando i biscotti sono raffreddati, mettete un po di ganache fra due biscotti, continuate a fare cosi fino a quando avete esaurito i biscotti, mettete in frigo per mezz'ora prima di servire.

Biscuits / Biscotti

ALMOND BISCOTTI

500g "oo" flour
100g toasted slivered
almonds, finely chopped
100g finely chopped glace'
fruit
100ml olive oil
zest of 2 oranges finely
grated
200g caster sugar
3 eggs
30ml orange liqueur
½ bag (8g) Bertolini baking
powder, or 8g baking
powder

Preheat oven to 200 degrees. Put flour, sugar, almonds and fruit in a stainless steel bowl, mix well. In a separate bowl beat eggs, oil, orange rind, liqueur and baking powder, mix well and then add to the flour mixture. Work mixture until you have a smooth dough, then roll into four equal pieces of dough and shape into logs, flatten the logs slightly and put them on 2 baking trays lined with baking paper. Bake for 30 minutes. Remove logs from oven and cool, when cold enough to handle, cut logs in 2 – 3cm pieces, put them back on baking trays, reduce oven temperature to 160 degrees and cook for 10 – 15 minutes turning biscuits over once. Cool and keep in an airtight container.

BISCOTTINI DI MANDORLE

500g farina "oo"
100g mandorle pelate e
tostate tritate molto fine
100g di frutta candita tritata
molto fine
100ml olio d'oliva
la scorza di 2 arance
grattugiata
200g zucchero semolato
3 uova
30ml liquore all'arancia
½ bustina di lievito Bertolini
oppure, 8g di Baking powder

Riscaldate il forno a 200 gradi. Mettete la farina, lo zucchero, le mandorle tritate e la frutta candita tritata in una ciotola e mescolate bene. In un altra ciotola mettete le uova, l'olio, la scorza di arance, il liquore e il lievito e mescolate bene, poi aggiungete il miscuglio nella altra ciotola con la farina e gli altri ingredienti, mescolate fino a quando l'impasto risultera' liscio. Dividete l'impasto in 4 pezzi uguali e formate dei tronchi, appiattateli leggermente con le mani. Mettete i tronchi, su due teglie, foderate con carta da forno, e fate cuocere per 30 minuti. Levate i tronchi dal forno e fate raffreddare, tagliateli a fettine 2 – 3 cm spessi, rimettete nelle teglie, abbassate la temperature del forno a 160 gradi e fate cuocere per 10 -15 minuti.

Biscuits / Biscotti

ALMOND FLOWERS GF

300g almond meal
100g caster sugar
3 egg whites
½ teaspoon bitter almond
essence
200g frozen mixed berries
100g caster sugar
blanched whole almonds

Make syrup with the frozen berries and sugar, cook on low heat until the sugar has melted, cook for 5 minutes; cool down syrup, blitz it with an electric mixer, pass syrup through a fine sieve and use when required.

Mix almond meal, sugar, egg whites, almond essence in a large bowl, mix well, then fold through the berry syrup; pipe small rosettes on a baking tray lined with baking paper, top with blanched whole almonds, dust with icing sugar, cook in a preheated oven, 180 degrees, for 15 minutes .

FIORI DI MANDORLE GF

300g farina di mandorle
100g zucchero semolato
3 albumi
½ cucchiaino di essenza di
mandorle amare
200g frutti di bosco
congelati
100g zucchero semolato

Fate uno sciroppo con I frutti di bosco e 100g di zucchero semolato, fate cuocere a fuoco basso, in un pentolino, per 5 minuti; levate dal fuoco e fate raffreddare, frullate lo sciroppo passatelo con un colino, mettete lo sciroppo da parte.

Mescolate, in una ciotola, la farina di mandorle, lo zucchero, gli albumi, l'essenza di mandorle, poi aggiungete lo sciroppo di frutti di bosco e mescolate bene; mettete nel sac a poche con un beccuccio a stelle e formate dei biscottini, mettete sopra ogni biscotto, delle mandorle pelate intere, spolverate con zucchero a velo; fate cuocere a forno riscaldato, 180 gradi per 15 minuti.

Biscuits / Biscotti

ALMOND MACAROONS

250g almond meal
150g caster sugar
2 - 3 egg whites
1/2 teaspoon bitter almond
essence

Put all ingredients in a bowl, adding egg whites last, the mixture should be not too soft, not too hard, and mix well. Put mixture in piping bag and pipe onto a baking tray, lined with baking paper. You can top biscuits with glacé cherries or blanched almonds. Dust biscuits with icing sugar before baking.

Bake in a preheated oven at 160 degrees for 15 minutes.

PASTINE DI MANDORLE

250g farina di mandorle
150g zucchero semolato
2 – 3 albumi
1/2 cucchiaino di
essenza di mandorle amare

Mettete gli ingredienti in una ciotola capace e aggiungete gli albumi in ultimo, dovrete avere un miscuglio non troppo morbido, mescolate bene. Mettete il miscuglio in un sac a poche con beccuccio stellate, e formate dei piccoli biscotti su una placca, foderata con carta da forno.

Coprite i biscotti con le ciliege glassate oppure delle mandorle scottate, spolverate con zucchero a velo e fate cuocere a forno caldo, 160 gradi per 15 minuti.

Biscuits / Biscotti

SOFT AMARETTI GF

200g almond meal
200g icing sugar
3 egg whites
1/2 teaspoon bitter almond
essence

Mix all ingredients in a bowl. Put in a piping
bag and pipe in small mounds, decorate with
flaked almonds and dust with caster sugar.

Rest amaretti in tray for 1 hour. Cook in
preheated oven 160 degrees for 15 -20 minutes.

AMARETTI MORBIDI GF

200g farina di mandorle
200g di zucchero a velo
3 albumi
1/2 cucchiaino di essenza di
mandorle amare

Mescolare bene, tutti gli ingredienti in una
ciotola. Mettere il composto in un sac a poche
e formare dei piccoli amaretti. Decorare con le
mandorle, spolverare con zucchero semolato.

Fare riposare gli amaretti nella placca per un'ora,
prima di cuocere nel forno a 160 gradi per 15 - 20
minuti.

Biscuits / Biscotti

LADIES KISSES

125g almond meal
125g soft butter
125g flour "00"
125g caster sugar
grated zest of one lemon
1 teaspoon vanilla essence

Put flour, almond meal, sugar, butter, lemon zest and vanilla essence in the bowl of an electric mixer and mix with the dough hook until you have smooth dough. Remove the dough from mixer, break off small pieces of dough, and mould into small balls, the size of a large cherry. Refrigerate the baci, for a couple of hours before baking, this mixture should yield about 45 – 50 balls.

Preheat oven to 180 degrees.

Chocolate ganache:
100ml cream
100g coverture chocolate

Put the cream in a small pot and bring to boil on low heat, remove pot from heat, put the chocolate in the hot cream and stir with a wooden spoon until you have a smooth mixture. Refrigerate to cool down.

Put baci on a baking tray, lined with baking paper and bake for 15 minutes, cool down. To finish baci, sandwich 2 biscuits with a little chocolate ganache.

BACI DI DAMA

125g farina di mandorle
125g burro morbido
125g farina "00"
125g zucchero semolato
la buccia di un limone grattugiata
1 cucchiaino di essenza di vaniglia

Mettete tutti gli ingredienti nella planetaria e mescolate con il gancio elettrico fino a quando non avrete un impasto liscio. Fate delle piccole palline, con l'impasto, come una ciliegia. Mettete i baci, nel frigo per almeno due ore, questo impasto rende 45 – 50 palline.

Riscaldate il forno a 180 gradi, mettete i baci su una placca foderata con carta da forno e fate cuocere per 15 minuti. Levate i baci dal forno, e lasciateli raffreddare.

Ganache di cioccolato:
100g panna liquida
100g cioccolato fondente

Riscaldate la panna in un pentolino a fuoco basso, quando la panna bolle, aggiungete il cioccolato e fate scioglierlo completamente, fate raffreddare la ganache nel frigorifero per un'ora.

Per servire i baci spalmare un po di ganache fra due biscottini.

Biscuits / Biscotti

UGLY BUT GOOD GF

125g hazelnuts, blanched
125g whole blanched almonds
250g caster sugar
and 125g egg white
icing sugar for dusting the
biscuits

Grind both nuts and the sugar, in food processor, until very fine. Mix ground nuts with egg whites in a large stainless steel bowl, mix over, lowest heat, with a wooden spoon, continuously for 20 minutes, until the mixture will start to dry and thicken. Cool mixture for at least 30 minutes; when the mixture is cool enough to handle, put a teaspoonful of the mixture on a baking tray, which has been lined with baking paper, dust heavily with icing sugar. Cook in a preheated oven, 160 degrees, for 15 – 20 minutes.

BRUTTI MA BUONI GF

125g di nocciole pelate
125g mandorle pelate
250g zucchero a velo
125g di albume
zucchero a velo per spolverare
i biscotti

Mettete le nocciole, le mandorle e lo zucchero nel mixer elettrico, macinate fino a quando il miscuglio sara' molto fine, poi levate dal mixer and mettete in una ciotola di acciaio, aggiungete gli albumi, mescolate con un cucchiaio di legno; mettete la ciotola sul gas a fiamma molto bassa, e fate cuocere per 15 – 20 minuti, mescolando continuamente, con il cucchiaio di legno, fino a quando il miscuglio comincera' ad asciugarsi e addensarsi. Levate dal fuoco e fate raffreddare per 30 minuti, preparate 2 teglie e foderatele con carta da forno, fate tanti mucchietti con un cucchiaino sulla teglia, fino a quando avete usato tutto l'impasto. Spolverate i biscotti con tanto zucchero a velo, e poi fate cuocere a forno riscaldato, 160 gradi per 15 – 20 minuti.

CEDRINI GF

Almond paste:
- 250g caster sugar
- 250gr almond meal
- 75gr egg white *(approximately from 2 eggs)*

Filling:
- 250gr candied cedro shredded in fine strips
- 50gr cedro liqueur *or another similar limoncello*

CEDRINI GF

Pasta di mandorle:
- 250gr zucchero semolato
- 250gr farina di mandorle
- 75gr di albume (circa 2 albumi)

Ripieno:
- 250gr di cedro candito tagliato a listarelle
- 50gr di liquore di cedro oppure un altro liquore simile

Biscuits / Biscotti

Mix almond meal and sugar in en electric mixer with the paddle attachment for a few minutes, then add eggs whites and mix until mixture is smooth. Wrap mixture in cling film and refrigerate for 24 hours.

Filling:
Blend cedro and liqueur in a blender until you have a smooth puree.

Garnish:
For garnish you will need 2 tablespoons of apricot jam diluted with 2 tablespoons of water. Bring the mixture to boil in a small pot and cook for a couple of minutes until it thickens, cool down before using. Also for garnish, flaked almonds and icing sugar.

To make cedrini:
Take almond paste out of fridge 30 minutes before ready to use. Roll almond paste on a table dusted with icing sugar. Make strips of dough 20 – 25 cm long and 4 – 5 cm wide. Pipe filling in the center, with a piping bag, into a rope 2cm thick. Wrap the almond paste around filling to make a roll, seal well. Cut cedrini in a diamond shape 4 – 6 cm long. Put cedrini on a baking tray, which has been lined with baking paper, brush cedrini with apricot syrup, sprinkle with flaked almond and dust with icing sugar. Bake in a preheated oven 160 degrees for 10 – 15 minutes.

Impastare nella impastatrice con la foglia, la farina di mandorle e lo zucchero per 2 -3 minuti. Aggiungere gli albumi, leggermente sbattuti con una forchetta. Impastare, con la foglia, fino a quando l'impasto diventera' uniforme e liscio. Avvolgere l'impasto nella pellicola,, e conservare in frigo per 24 ore. Portare fuori dal frigo 30 minuti prima di fare i cedrini.

Ripieno:
Frullare il cedro candito con il liquore nel mixer, velocemente, ottenendo un pure'. Mettere il ripieno in un sac a poche munito di bocchetta liscia.

Per guarnire:
Per guarnire i cedrini occorrono: 2 cucchiaia di marmellata di pesche diluite con due cucchiaia di acqua. Mettere a bollire in un pentolino sul fuoco per 5 minuti. Colare lo sciroppo con un colino in modo da ottenere uno sciroppo liscio.

Per guarnire i cedrini occorrono mandorle pelate a lamella e un 2 -3 cucchiaia di zucchero a velo.

Esecuzione dei cedrini:
Stendere la pasta di mandorle sul tavolo spolverato con zucchero semolato, fare delle striscie lunghe 20 – 25 cm e larghe 4 -5 cm. Mettere il ripieno sulla pasta di mandorle stesa come un cordone uniforme del diametro circa 2 cm. Avvolgerlo quindi con la pasta, tagliate dei trancetti a forme di diamanti della lunghezza di 4 – 6 cm. Mettere i cedrini su una teglia coperta da carta da forno. Spennellate i cedrini con un pennello e un po' di sciroppo di pesche. Decorare con mandorle pelate e tagliate a lamelle. Prima di infornare i cedrini, spolverateli con abbondante zucchero a velo. Cuocere a fuoco medio 160 gradi 10 – 15 minuti.

Biscuits / Biscotti

FLORENTINES GF

240g butter
250g caster sugar
200g candied oranges finely
chopped
60g glace' cherries finely chopped
250g blanched almonds chopped in
the food processor, not too fine
60 ml cream
120g flaked almonds
250g coverture chocolate

Melt the butter in a saucepan, stir sugar in and bring mixture slowly to the boil. Remove from heat and add all other ingredients, but not the chocolate, mix well and refrigerate overnight.

Preheat oven to 150 degrees, coat trays with soft butter, shape small amount of cold mixture into small balls, put them on tray and flatten a little, no more than six per tray, they will spread. Cook Florentines for 5 minutes, take tray from the oven, shape Florentines, using a spatula, into compact rounds, return trays to the oven and cook until golden, say another 5 minutes. Remove trays from the oven, reshape Florentines with spatula, and cool until they start to firm up, remove with spatula and place on cooling rack. Melt chocolate, then cool it down to room temperature, spread chocolate on flat side of Florentines and run through chocolate with a fork to create a pattern, refrigerate for about one hour. This is a very involved biscuit, read the instructions carefully, definitely worth doing!

FIORENTINI GF

240g burro
250g zucchero semolato
200g arance candite tritate
60g ciliege candite tritate
250g mandorle pelate tritate
nel mixer, non troppo fine
60ml panna liquida
120g mandorle a lamelle
250g cioccolato fondente

Fate sciogliere il burro in una pentola a fuoco lento, aggiungete lo zucchero e fate cuocere per 5 minuti, levate la pentola da fuoco e aggiungete tutti gli altri ingredienti, tranne il cioccolato, mescolate bene, mettete nel frigo per 12 ore.

Riscaldate il forno a 150 gradi, imburrate delle teglie da forno, fate delle piccole palline, con il miscuglio, come una piccola noce, posatele sulla teglia, non piu' di 6 per teglia, si allargheranno, e schiacciatele leggermente. Fate cuocere i biscotti per 5 minuti, levate le teglie dal forno, e con una piccola spatola date ai biscotti una forma piuttosto rotonda, mettete le teglie dei biscotti di nuovo nel forno e fate cuocere per altri 5 minuti, oppure fino a quando i biscotti sono dorati.

Levate le teglie dal forno e fate raffreddare i biscotti per 1 – 2 minuti fino a quando i biscotti cominciano a rassodarsi, levate i biscotti dalla teglia, con delicatezza, con la spatola, fate raffreddare per un ora. Fate sciogliere il cioccolato e spalmate il lato piatto dei biscotti con il cioccolato e passatele con i rebbi di una forchetta per creare un decoro a onde. Mettete i biscotti in frigo per un'ora per fare asciugare il cioccolato.

Biscuits / Biscotti

FROLLINI

200g flour
150g caster sugar
100g chestnut flour
100g softened butter
2 egg yolks
2 whole eggs
250g dried apricots chopped finely
60g raw sugar
40g sultanas chopped
40g pine nuts
50g butter
200ml water

Dough:
Mix flours, sugar and butter in an electric mixer for 5 minutes. Add egg yolks, whole eggs. When dough comes together, remover from mixer and wrap up in cling film. Refrigerate for at least one hour.

Filling:
Put apricots, butter and sugar in a pot, add 200ml of water, the sultana, and pinenuts and bring to boil and simmer until all liquid has evaporated, and the mixture is firm.

Roll dough with rolling pin to a thickness of 1 cm. Cut dough with chosen pastry cutters and bake in a moderate oven, 160 degrees for 10 – 15 minutes. When biscuits are cold sandwich 2 together with some filling. Fill a couple of hours before serving.

FROLLINI

200g farina
150g zucchero semolato
100g di farina di castagne
100g di burro morbido
2 tuorli
2 uova intere
250g di albicocche secche tritate
60g di zucchero grezzo
40g di sultana tagliata a filetti
40g di pinoli
50g di burro
200ml di acqua

Pasta:
Mescolare le farine, lo zucchero e il burro nel mixer per 5 minuti, aggiungere poi, i tuorli e le uova intere, al miscuglio. Quando la pasta e' pronta, avvolgerla nella pellicola e mettere nel frigo per minimo un'ora.

Ripieno:
Cuocere in una pentola capace, le albicocche tagliate a filetti, lo zucchero, i pinoli, la sultana e il burro con 200ml di acqua. Cuocere fino a che il liquido e' evaporato e il ripieno e' asciutto.

Esecuzione:
Tirare la pasta con il matterello dallo spessore di 1cm. Tagliare con il taglipasta preferito i frollini, e cuocere a forno medio, 160 gradi per 10 – 15 minuti. Quando i frollini sono raffreddati, spalmare un po di ripieno fra due biscottini. Farcire i frollini un paio di ore prima di servire.

Biscuits / Biscotti

GIANDUIOTTI (GF)

500g Hazelnut meal
500g caster sugar
60g Dutch cocoa
Citrus pure' 75g
6 egg whites

Preheat oven to 160C.

In a mixing bowl, mix by hand, hazelnut meal, cocoa, sugar, citrus pure' and egg white. Make sure all ingredients are mixed well.

Put mixture in a piping bag fitted with a star nozzle no. 11 and pipe onto baking trays, which have been lined with baking paper. Top biscuits with whole hazelnuts, which have been toasted in the oven for 10 minutes, then dust biscuits with pure icing sugar and bake in oven for 15 minutes.

Variation: - with Orange Chocolate Ganache, put 75ml of cream in a small pot, bring to boil, add 100g Orange chocolate, mix and melt until smooth; cool down and then sandwich together 2 biscuits with a little chocolate ganache, if you can't get the Orange chocolate, melt white chocolate and add a few drops of orange colour.

GIANDUIOTTI (GF)

500g di farina di nocciole
500g di zucchero semolato
60g di Cacao Amaro
75g di pure di Clementine o
Arance candite
6 albumi

Mettere in una ciotola capace, la farina di nocciole, il cacao, lo zucchero, il pure' di Agrumi e gli albumi. Mescolare bene con le mani. Mettere il composto in un sac a poche con un beccuccio a stelle numero 11. Fare dei piccoli biscotti e posarli su una teglia coperta con carta da forno; mettete, su ogni biscotto, una nocciole intera pelata e tostata al forno; spolverare i biscottini con zucchero a velo e cuocere a forno riscaldato, 160 gradi, per 10 – 15 minuti.

Ricetta variante: - Per la ganache al cioccolato All'Arancia, vi occore 100g di cioccolato all'Arancia e 75ml di panna liquida, bollite la panna in un pentolino aggiungete il cioccolate fate sciogliere e spalmate fra 2 biscotti, decorate a piacere, naturalmente se li fate cosi' non bisogna mettere la nocciola di sopra! Se non riuscite a trovare cioccolato all'Arancia, usate il cioccolato bianco e aggiungete quache goccia di colore Arancione.

Biscuits / Biscotti

LEMON BISCUITS

100g soft butter
100g caster sugar
the juice and grated rind of 1
lemon
250g plain flour
1 egg
8g baking powder
icing sugar for rolling the
biscuits

Mix the butter and the sugar in the electric mixer for 5 minutes, then add the egg, lemon juice, the grated lemon rind, and finally the flour that has been mixed with the baking powder, mix well. Take the mixture from the bowl of the mixer, put into another bowl and refrigerate for at least one hour.

To make the biscuits take some mixture, about the size of a walnut, roll them into a ball, and then roll them into the icing sugar, put the biscuits on a baking tray, which has been lined with baking paper. Cook in a preheated oven, 180 degrees, for 15 minutes.

BISCOTTINI AL LIMONE

100g burro morbido
100g zucchero semolato
il succo e la buccia di un
limone grattugiata
250g farina
8g baking powder
oppure mezza busta di
lievito Bertolini, zucchero a
velo per passarvi i biscotti

Mettete il burro e lo zucchero nel mixer elettrico e fate sbattere per 5 minuti; aggiungete l'uovo, il succo di limone e la buccia grattugiata, ed infine la farina che avrete gia mischiato con il lievito, mescolate bene l'impasto; levate l'impasto dal mixer e mettetelo in una ciotola, coprite con la pellicola e mettete in frigo per un'ora.

Per fare i biscotti, fate delle palline grosse come una noce e passatele nello zucchero a velo e poi posate su una teglia foderata con carta da forno; mettete i biscotti, nel forno riscaldato, 180 gradi, e fate cuocere per 15 minuti.

Biscuits / Biscotti

NATALINI GF

300g almond meal
300g caster sugar
3 egg whites lightly whipped
100g pure icing sugar
one-teaspoon vanilla
essence

In a stainless steel bowl, mix sugar, almond meal, egg whites and vanilla essence. Mix well.

Get a silicone mat and dust it with icing sugar, this process will help roll the Natalini. Roll dough with a rolling pin, to a thickness of one cm. Dust surface with more icing sugar, then cut the biscuits with your favourite moulds, remove biscuits with a small spatula and put on a baking tray which has been lined with baking paper. Dust the biscuits with more icing sugar, then bake in a preheated oven, 180 degrees for 10 – 15 minutes, depending on your oven. These biscuits keep well in airtight container for up to 2 weeks.

NATALINI GF

300g-farina di mandorle
300g-zucchero semolato
3-albumi sbattuti con una
forchetta
100g zucchero a velo
un cucchiaino di essenza di
vaniglia

In una ciotola capace, mescolate, la farina di mandorle, lo zucchero, gli albumi sbattuti e la vaniglia, fino a che avrete un impasto sodo e liscio.

Spolverare un foglio di silicone, per dolci, con abbondante zucchero a velo. Tirare la sfoglia con il matterello dallo spessore di 1cm, Spolverare la superficie dei biscotti con abbondante zucchero a velo. Tagliare i biscotti con le formine preferite, e poi posare i biscotti su una teglia, foderata con carta da forno. Spolverare i biscotti con altro zucchero a velo; fate cuocere i biscotti, nel forno riscaldato, a 180 gradi, per 10 – 15 minuti.

Biscuits / Biscotti

NUTELLA BISCUITS

350g "oo" flour
3 eggs
150g caster sugar
50g Dutch cocoa
250g Nutella
3 teaspoon baking powder
icing sugar for rolling
biscuits in

Mix the eggs and the sugar in the electric mixer
for 5 minutes, add the flour, baking powder
and cocoa and mix well; finally fold through
the Nutella and mix well. Wrap the dough in
cling film and refrigerate for at least one hour.
Roll dough into small balls the size of a walnut,
roll them in the icing sugar, place them on a
baking tray, lined with baking paper, bake in a
preheated oven, 180 degrees for 15 minutes.

BISCOTTI ALLA NUTELLA

350g farina "oo"
3 uova,
150g zucchero semolato
50g Cacao Amaro
250g Nutella
una bustina di lievito
Bertolini
oppure 15g di baking powder
zucchero a velo per rotolare
i biscotti

Mescolate le uova e lo zucchero, nel mixer
elettrico per 5 minuti, aggiungete la farina,
il lievito ed il Cacao e mescolate bene, infine
aggiungete la Nutella e mescolate nell'impasto;
avvolgete l'impasto nella pellicola e mettete in
frigorifero per almeno un'ora. Con l'impasto
fate tante palline delle dimensioni di una noce,
rotolatele nello zucchero a velo, sistematele sulle
placche foderate con carta da forno e fate cuocere
a forno riscaldato, 180 gradi per 15 minuti.

Biscuits / Biscotti

PINENUT BISCUITS GF

250g pine nuts
100g blanched slivered
almonds
100g caster sugar
½ teaspoon vanilla essence
1 egg white lightly beaten
grated zest of one lemon

Preheat oven to 160C.

Spread the pine nuts evenly on a baking sheet and toast, 10 minutes or until lightly golden. Cool before using in the recipe.

Pulse the slivered almonds with caster sugar and 100g of the pine nuts in a food processor to create a sandy texture. Transfer to a medium sized mixing bowl. Add the lemon zest, vanilla and egg white and mix well. Cover the dough with cling film and refrigerate for 30 minutes.

Form dough into cherry-size balls and roll in the remainder of the toasted pine nuts, pressing them gently into the dough. Bake for 10 minutes or until golden brown.

PINOLATE GF

250g Pinoli
100g mandorle pelate a filetti
100g di zucchero semolato
½ cucchiaino di essenza di vaniglia
un albume sbattuto leggermente con
una forchetta
una scorza di limone grattugiata

Riscaldare il forno a 160 gradi.

Mettere i Pinoli, su una placca foderata, con carta da forno. Fate cuocere per circa 10 minuti.

Mettere nel mixer: lo zucchero, le mandorle e 100 grammi di Pinoli e frullate per 2 minuti, il miscuglio deve avere la consistenza sabbiosa. Mettete il miscuglio in una ciotola e aggiungete l'albume, la scorza di limone, e l'essenza di vaniglia. Mescolate bene. Coprite l'impasto con la pellicola e mettete in frigo per 30 minuti.

Levate l'impasto dal frigo, fare dei biscottini, come una ciliegia, passate le palline nei pinoli rimasti e far si che i pinoli si attacchano sulla superficie dei biscotti; mettete i biscottini su una placca foderata da carta da forno , spolverate con zucchero a velo e fate cuocere nel forno per circa 15 minuti o fino a quando hanno un aspetto dorato.

Biscuits / Biscotti

PISTACHIO BISCUITS

450g pistachio nuts
150g roughly chopped
pistachio nuts for rolling
biscuits
1 tablespoon honey
1 teaspoon vanilla essence
zest of one lemon grated
3 egg whites
150g caster sugar

Preheat oven 160C.

Chop pistachio nuts together with sugar in
a food processor. The texture should be like
coarse, grained sand.

In a mixing bowl, mix pistachio, egg whites,
honey, lemon zest and vanilla extract, the
mixture should be soft.

Roll the mixture into balls, the size of a walnut,
and then roll in the chopped pistachio, making
sure the biscuits are coated evenly.

Put them on baking trays lined with baking
paper, top biscuits with glace' cherries or small
pieces of glace' fruit.

Bake in preheated oven for 12 – 15 minutes

BISCOTTI DI PISTACCHIO

450g pistacchi
150g di pistacchi tritati
grossolani
un cucchiaio di miele
un cucchiaino di essenza di
vaniglia
la scorza di un limone grattugiata
3 albumi
150g zucchero semolato

Riscaldare il forno a 160 gradi.

Mettere 450g di pistacchi nel mixer elettrico
insieme allo zucchero e tritare il miscuglio, deve
risultare fine come granelli di sabbia.

Mettere il miscuglio di pistacchi, in una ciotola
capace, aggiungere gli albumi, il miele, la vaniglia
e la scorza di limone, mescolare bene.

Fare delle palline come noci, e immergere nei
pistacchi tritati in modo che la superficie dei
biscotti e coperta completamente; mettere i
biscotti, su una teglia coperta con carta da forno,
potrete guarnire con delle ciliege candite, o altra
frutta candita; cuocere nel forno caldo per 12 – 15
minuti.

Biscuits / Biscotti

ADELINA'S PISTACHIO BISCUITS "2002" (GF)

500g finely chopped
pistachio nuts
100g almond meal
300g caster sugar
4 or 5 egg whites
150g white chocolate
100g roughly chopped
pistachio for garnish

Put the chopped pistachio, almond meal and sugar in a stainless steel bowl and mix well. Add the egg whites a little at a time, you may not need all, the mixture should be firm and not too soft. Put mixture in a piping bag fitted with a star nozzle number 13, pipe strips 6 – 7 cm long. Cook in a preheated oven 180 degrees for 15 minutes. Cool biscuits down and when cool enough to handle dip one end in melted white chocolate, top with chopped pistachio.

BISCOTTI DI PISTACHIO RICETTA DI ADELINA "2002" (GF)

500g di pistacchi tritati
100g farina di mandorle
300g zucchero semolato
4 – 5 albumi
150g cioccolato bianco
100g pistacchi tritati
non troppo fini per
guarnire

Mettete i pistacchi tritati, in una ciotola, con la farina di mandorle e lo zucchero, mescolate bene. Aggiungete gli albumi, uno alla volta, l'impasto dovra' risultare non troppo morbido; mettete l'impasto, un poco alla volta, in una sac a poche con un beccuccio stellate numero 13, formate dei biscotti come un cono di gelato, su teglie foderate con carta da forno; fate cuocere a forno riscaldato, 180 gradi per 15 minuti; fate raffreddare i biscotti e poi guarnite con cioccolato bianco sciolto e spolverate con i pistacchi tritati.

Biscuits / Biscotti

RICCIARELLI DI SIENA

500g blanched almonds
200g pure icing sugar
40ml honey
3 egg whites beaten firm
grated rind of 2 lemons
or the grated rind of
one orange, if covering
Ricciarelli with melted
chocolate
½ teaspoon bitter almond
essence

Grind almonds finely in food processor; mix, in bowl, almonds, icing sugar, lemon rind and honey, add egg whites a little at a time, and mix well, the dough should be quite firm.

Roll dough, on a silicon sheet, dusted with icing sugar; roll dough with the help of a rolling pin to a thickness of 1cm; cut diamond shaped biscuits, put them on baking tray, that has been lined with baking paper, and dust with icing sugar.

Bake in preheated oven, 160 degrees, for 10 – 15 minutes.

Do not overcook biscuits, they should be soft and slightly crunchy at the same time. Biscuits can, also, be covered with melted chocolate

RICCIARELLI DI SIENA

500gr mandorle pelate
tagliate a filetti
200gr di zucchero a velo
40gr di miele (un cucchiaio
colmo)
3 albumi montati a neve
½ cucchiaino di essenza di
mandorle amare
la scorza grattugiata di 2
limoni, oppure la scorza
grattugiata di un'arancia,
se coprite i Ricciarelli con
cioccolato fondente

Tritare le mandorle nel mixer finemente, mettetele in una ciotola con lo zucchero, le scorze di limone e il miele. Aggiungete gli albumi, un po' alla volta e mescolate bene. L'impasto deve essere sodo.

Stendete l'impasto su un tavolo spolverato con zucchero a velo, potete usare il matterello per fare una sfoglia con lo spessore, massimo 1 cm. Tagliate i ricciarelli a forme di diamante. Spostate i ricciarelli su una teglia coperta da carta da forno con una spatola. Spolverate i ricciarelli con abbondante zucchero a velo.

Fate Cuocere a forno caldo, 160 gradi per 10 – 15 minuti. I pasticcini devono avere un aspetto e colore" dorato" e devono essere friabili di fuori e nello stesso tempo morbidi. Se vi piace, potrete coprire i Ricciarelli con cioccolato fondente, sciolto.

Biscuits / Biscotti

SPONGE FINGERS

6 eggs
2 lots of 115g caster sugar
150g "00" flour
75g corn flour
1 teaspoon vanilla extract
¼ teaspoon salt
icing sugar for dusting the
Savoiardi

Preheat the oven to 180 degrees, line 3 baking
trays with baking paper; you will need a piping
bag with a plain nozzle, diameter 1.5cm or
near enough. Separate the eggs. Whisk the
egg yolks with one lot of caster sugar and the
vanilla extract. Beat until the mixture is light
and fluffy, about 5 minutes. In a clean bowl
beat the egg whites until they hold firm peeks.
While beating, slowly add the salt, the other
sugar, until combined. Gently fold the beaten
egg whites into the egg yolks mixture. Mix
both flours together, then sift them over the
egg mixture and gently fold in. Fill the piping
bag with some of the mixture and pipe about
12 biscuits per tray, about 8 – 10 cm long, dust
with icing sugar and bake in a preheated oven
for 30 minutes.

SAVOIARDI

6 uova
2 quantita' di zucchero semolato, 115g X 2
150g farina "00"
75g Amido di Mais
un cucchiaino di estratto alla vaniglia
¼ cucchiaino di sale
zucchero a velo per spolverare i
Savoiardi

Riscaldate il forno a 180 gradi, foderate 3 placche
con carta da forno, vi occorrera' un sac a poche
munita con bocchetta liscia, diametro 1.5cm;
separate gli albumi dai tuorli dalle uova. Fate
sbattere i tuorli con 115g di zucchero e l'estratto
di vaniglia fino a quando avrete un miscuglio
giallo chiaro e leggero, circa 5 minuti. In un'
altra ciotola pulita, cominciate a sbattere gli
albumi, con il sale e poi aggiungete, un poco
alla volta l'altro zucchero, montate gli albumi a
neve; aggiungete gli albumi montati, ai tuorli,
e mescolate bene; mischiate, le due farine,
e setacciatele sulle uova montate, mescolate
delicatamente; mettete l'impasto nel sac a poche,
e fate dei Savoiardi lunghi 8 – 10cm, 12 per
placca. Spolverate i Savoiardi con lo zucchero a
velo e fate cuocere per 30 minuti.

Biscuits / Biscotti

VANILLA BISCUITS
WITH COFFEE GLAZE

160g butter
240g caster sugar
2 teaspoons vanilla extract
5 eggs
450g "oo" flour
3 teaspoons baking
powder
coffee beans for garnish

Coffee glaze: 250g pure icing sugar
50ml hot espresso coffee

Preheat oven to 180 degrees.

Whisk butter and sugar until light and fluffy, add the eggs one at a time until the mixture is smooth, then fold the vanilla essence, and the flour, which you have already blended with the baking powder, mix well. Put the mixture in a piping bag with a plain nozzle, and pipe small biscuits on a baking tray lined with baking paper; top each biscuit with a coffee bean, and cook in preheated oven for 15 minutes or until the biscuits are golden in colour, cool down the biscuits.

Make the coffee glaze by mixing in a bowl, the icing sugar with hot coffee, mix until smooth. Top biscuits with icing; put biscuits on a cooling rack until dry.

BISCOTTI ALLA VANIGILIA
CON GLASSA AL CAFFE'

160g burro
240g zucchero semolato
2 cucchiaini di essenza di vaniglia
5 uova
450g farina "oo"
3 cucchiaini di baking powder, oppure una bustina di lievito Bertolini
chicchi di caffe' per guarnire

Glassa al caffe': 250g zucchero a velo
50ml di caffe' caldo

Riscaldate il forno a 180 gradi.

Sbattete il burro e lo zucchero nel mixer elettrico fino a quando non avrete un miscuglio leggero e spumoso, aggiungete le uova uno alla volta, mescolate bene, poi aggiungete la vaniglia e la farina, che avrete gia mischiato con il lievito, l'impasto dovrebbe risultare liscio senza grumi. Mettete l'impasto in un sac a poche munito con bocchetta liscia, formate tante palline grandi come una noce, su una placca foderata con carta da forno; mettete un chicco di caffe' su ogni biscotto, fate cuocere i biscotti nel forno riscaldato per 15 minuti, oppure fino a quando i biscotti saranno dorati, fate raffreddare i biscotti.

Per la glassa, mettete lo zucchero a velo in una ciotola e aggiungete il caffe caldo, mescolate fino a quando la glassa risultera' liscia. Mettete la glassa sui biscotti e fate raffreddare.

DESSERTS AND SMALL CAKES
DOLCI E PICCOLA PASTICCERIA

Dessert & Small Cakes / Dolci e Piccola Pasticceria

BLUEBERRY & LEMON FRIANDS

180g icing sugar sifted
100g almond meal
60g "oo" flour
5 egg whites
180g unsalted melted butter
the grated zest of 1 lemon
100g fresh or frozen
blueberries

Preheat oven 180 degrees, fan forced. Mix together, in the bowl of an electric mixer, almond meal, icing sugar, "oo" flour and lemon zest. Whisk the egg whites until frothy, then add the melted butter, mix well. Mix the dry ingredients, in the bowl of the electric mixer, with the dough hook, and add the egg whites and butter mixture in a steady stream. When mixture is smooth, grease the moulds, you are using, Friands moulds, or even muffin moulds will do, and fill 3/4of the moulds with the mixture, push through 3- 4 blueberries. Bake the Friands for 15 – 20 minutes or until they are cooked and golden brown.

DOLCETTI MORBIDI CON MIRTILLI E LIMONE

180g zucchero a velo setacciato
100g farina di mandorle
60g farina "oo"
5 albumi
180g burro fuso
la buccia grattugiata di 1 limone
100g di Mirtilli freschi oppure
surgelati

Riscaldate il forno a 180 gradi, ventilato. Mescolate, nel mixer elettrico la farina di mandorle, lo zucchero a velo, la farina "oo" e la buccia di limone grattugiata. A parte, in una ciotola capace, mescolate con 2 forchette, gli albumi fino a quando diventano spumosi, aggiungete il burro fuso e mescolate bene. Accendete il mixer, e con il motore acceso, aggiungete gli albumi e il burro fuso. Quando il miscuglio e' liscio, mettetelo nelle formine, anche quelle dei muffins vanno bene. Imburrate le formine e riempite solo a ¾, aggiungete 3 – 4 Mirtilli, premendoli verso il centro. Fate cuocere i dolcetti per 15 – 20 minuti fino a quando sono dorati.

BOCCONOTTI CALABRESI

Short pastry:
500gr "oo" plain flour
250gr pure icing sugar
200gr unsalted butter
½ bag of Bertolini lievito (8gr)
2 whole eggs
2 egg yolks
grated zest of 1 lemon

for filling use 1 jar of your favourite jam

Put in an electric mixer: flour, sugar, chopped butter and Bertolini baking powder with dough hook until the mixture resembles crumbs. Then add eggs and yolks until mixture is just coming together. Do not over mix dough or it will be too hard to handle. Refrigerate mixture up to 12 hours before using.

For the bocconotti you will need some tin moulds for small tarts. The shape can be whatever you choose, i.e. round or oval and so on. When you are ready to make bocconotti, take pastry out of fridge 15 minutes before. Spray moulds with cooking spray, to stop pastry sticking, put then on a baking tray and refrigerate while you start rolling the pastry. Roll pastry into ½ cm thick sheet and cut pastry with pastry cutter and line the bocconotti moulds with the pastry, remove any excess from the edges. Put one teaspoon of filling, jam or whatever else you are using as filling, top with a "lid" of pastry making sure the top is smooth. Brush bocconotti with some egg yolk. Refrigerate for ½ hour before cooking, oven temperature 160C for 15 minutes. This recipe will yield approximately 30 – 40 bocconotti depending on the size of the moulds.

BOCCONOTTI CALABRESI

Pasta sfoglia:
500gr farina "oo"
250gr zucchero a velo
250gr burro
½ Bustina di lievito Bertolini
2 uova intere
2 tuorli
la buccia grattugiata di un limone

un vasetto della vostra marmellata preferita come ripieno

Mettere nel mixer elettrico la farina, lo zucchero, il burro tagliato a pezzetti ed il lievito Bertolini, mescolare per 5 – 10 minuti poi aggiungere le uova e i tuorli; mescolare per altri 5 minuti, levare l'impasto dal mixer e finire di impastare velocemente a mano. Avvolgere la sfoglia nella pellicola e mettere in frigo per circa 12 ore prima di fare i bocconotti.

Spruzzare gli stampini , con olio vegetale, in modo che la sfoglia non attacchi. Trascorso il tempo necessario stendere la pasta ricavando una sfoglia dallo spessore di circa 3mm, e rivestire con essa gli stampini, tagliando l'eccedenza sul bordo; distribuire nei stampini la marmellata o qualsiasi altro ripieno che usate. Stendere I ritagli della sfoglia tagliandone piccoli pezzi per posare sui stampini come "coperchio". Pennellare I bocconotti con un poco di tuorlo d'uovo; collocare i bocconotti su una placca e mettere in frigo prima di cuocere, circa mezzoretta; passare I bocconotti in forno gia caldo (160C) per 15 – 20 minuti, dipende dal vostro forno; quando i bocconotti sono freddi levateli dagli stampini e spolverate con zucchero a velo.

NB. *La quantita' che si ricava da questa ricetta dipende dal formato dei stampini che usate.*

Dessert & Small Cakes / Dolci e Piccola Pasticceria

BAKED CANNOLI

BAKED CANNOLI

500g flour
150g butter
100g caster sugar
250g toasted blanched
almonds chopped
1 teaspoon vanilla essence
2 eggs
1 egg white
50ml water for binding the
mixture
pastry cream or ricotta
filling

Put the flour, sugar, butter, vanilla essence, in the bowl of an electric mixer and mix for 5 minutes, then add the eggs and the water and mix until the dough comes together, wrap in cling film and refrigerate for 30 minutes. Roll dough with pasta machine, as thin as possible, cut square shapes, wrap around the cannoli moulds, seal them with egg white, then brush the outside with more egg white and roll the cannoli in the chopped almonds. Bake in a preheated oven, 180 degrees for 10 minutes, remove the moulds and cook for another 5 minutes, fill with pastry cream or Ricotta filling: -

500g ricotta, one cup whipped cream, 100g orange peel pure', one tablespoon Orange Liqueur, 4 tablespoons icing sugar

Mix ricotta in a bowl with liqueur, icing sugar, the fold in whipped cream; refrigerate before using.

CANNOLI AL FORNO

500g farina
150g burro
100g zucchero semolato
250g di mandorle pelate e
tritate
un cucchiaino di essenza di
vaniglia
2 uova
1 albume
50ml d'acqua
crema pasticcera oppure
ripieno di ricotta

Impastate la farina nel mixer elettrico, con lo zucchero, il burro, e la vaniglia per 5 minuti, poi aggiungete le uova e l'acqua fino a quando avete ottenuto un composto consistente; avvolgete l'impasto nella pellicola, e mettete in frigo per 30 minuti; poi stendete la sfoglia molto sottile, passatele nella macchinetta, tagliate dei quadrati, avvolgeteli attorno agli apposite cannelli di alluminio e fissate le estremita conl'albume, leggermente sbattuto, poi spennellate i cannoli con albume e passateli nelle mandorle tritate; infornate a forno riscaldato, 180 gradi per 10 minuti, sfilate i cannelli, e rimettete i cannoli nel forno per altri 5 minuti. Fate raffreddare e farcite i cannoli con la crema pasticcera oppure il ripieno di ricotta: -

500g ricotta, una tazza di panna montata a neve, 100g di scorze di arance candite tritate, un cucchiaio di liquore di Arancia, 4 cucchiaia di zucchero a velo

Mescolate la ricotta e il liquore in una ciotola, aggiungete i canditi, ed infine aggiungete la panna montata, mettete in frigo prima di servire.

CANNOLI – TRADITIONAL RECIPE

300g "00" flour
2 egg yolks
50ml of olive oil
½ cup white wine
1 egg white for sealing
cannoli

In a bowl of electric mixer put flour, egg yolks and the olive oil and blend all with dough hook. Then start adding wine a little at a time until you have a firm and smooth dough.

Rest the dough, in the fridge for at least 30 – 60 minutes.

Remove dough from fridge and roll with pasta machine, cut into square shapes with pastry cutter. Wrap dough around cannoli mould, seal 2 ends with egg white and fry in hot oil in a tall pot, preferably at a temperature of 150 – 160 C.

Crème patissiere:
1 litre of milk, 8 egg yolk, 200g caster sugar, 100g "00" flour, 1 teaspoon vanilla essence

Whisk egg yolks with sugar until creamy. Then slowly add flour until mixed well. Meanwhile bring milk and vanilla to simmering point. Remove milk from heat and add to egg mixture making sugar mixture is smooth. Put mixture back into pot and bring mixture back to boil, simmer until mixture thickens. Cool and use as required.

Chocolate crème patissiere:
Add 100g of 55% cocoa butter chocolate to half a litre of hot plain crème patissiere and mix well until the chocolate has melted and the mixture is smooth.

CANNOLI – RICETTA TRADIZIONALE

300g farina "00"
2 tuorli
50ml olio d'oliva
½ bicchiere di vino bianco un albume per attaccare le scorze dei cannoli

Mescolare la farina con i tuorli, l'olio e aggiungere il vino bianco finche' otterrete un impasto consistente; mettere 'impasto a riposare per un'oretta.

Tirare la pasta con la macchina della pasta e fare una sfoglia di 2 mm. Tagliare dei quadri di pasta 10cm, arrotolare sulle apposite canne, pressando sui due angoli sovrapposti; friggere le scorze in abbondante olio di semi, finche' saranno dorate. Man mano passatele su carta assorbente; fate raffreddare e estraete le scorze dalle canne; riempire con crema pasticciera e guarnire a piacere.

Crema pasticcera:
1 litro di latte, 8 tuorli, 200g-di zucchero semolato, 100g farina "00", un cucchiaino di essenza di vaniglia

Sbattere le uova in un tegame con lo zucchero, aggiungere la farina, e il latte caldo. Passate sul fuoco e fate cuocere a fiamma bassa, mescolando con un cucchiaio di legno; Continuare la cottura per 5 minuti, oppure fino a quando la crema e' densa; toglietela dal fuoco e fare raffreddare.

Crema pasticciera al cioccolato:
Per preparare la crema pasticciera al cioccolato, aggiungete a mezzo litro di crema pasticciera bollente, 100g di cioccolato fondente, e girare con un cucchiaio di legno fino a quando il cioccolato si e' sciolto.

Dessert & Small Cakes / Dolci e Piccola Pasticceria

GIANDUIA SEMIFREDDO

500ml cream, whipped to soft peak
200g cooking chocolate (55% cocoa butter)
120g caster sugar
120ml water
30g Gianduia paste (Nutella may be used)
30ml coffee liqueur
100ml milk
5 egg yolks

Put sugar and water into a pot and bring to boil, cook sugar syrup to 115 degrees. Put egg yolks in mixer, start beating the eggs yolks with whisk and slowly add sugar syrup. Keep beating mixture until it has cooled right down.

Boil milk in a small pot, then take it off the heat, then add the chocolate, the Gianduia paste and the liqueur, mix well. Then add the milky mixture to the egg yolks. When this mixture has cooled right down then fold the whipped cream through.

Put mixture in moulds of your choice and freeze overnight. For service, garnish as desired or with some berries and a dusting of cocoa powder.

GIANDUIA SEMIFREDDO GF

500g di panna montata
200g di cioccolato fondente (55% burro di cacao)
120g di zucchero
120ml acqua
30ml liquore al caffe'
30g di Nutella
100ml di latte
5 tuorli

Fare uno sciroppo con l'acqua e lo zucchero, cuocere a 115 gradi. Mettere I tuorli nel mixer e cominciare a sbattere, aggiungere lo sciroppo un poco alla volta e sbattere fino a quando il composto si e' raffreddato. Riscaldare il latte, aggiungere il cioccolato, la Nutella, il liquore e mescolare bene. Aggiungere ai tuorli, e infine mescolare con delicatezza la panna montata. Mettere il composto nei stampini di vostra scelta; congelare per minimo 12 ore, guarnire a piacere.

HAZELNUT & CHOCOLATE GANACHE TART

Short pastry:	250g "00"
	125g pure icing sugar
	one whole egg
	one egg yolk
	100g butter
Filling for tarts:	150g brown sugar
	150g chopped hazelnuts
	75g butter
	50ml cream

Mix all ingredients in an electric mixer and as it starts to come together, finish mixing by hand. Wrap dough with cling film and refrigerate for 2 hours. Roll out pastry 5mm thick and line buttered small tart moulds, 10cm in diameter, prick bottom of tart shell with a fork and then line with baking paper and cover with a layer of dried beans. Bake the tart shells in a moderate oven 160 -180 degrees for 15 minutes. Remove beans and cool. This recipe yields 4 – 6 tart shells.

Put sugar, cream, butter and hazelnuts in a small pot and bring to boil. Simmer for 5 minutes, and then cool down. Melt an extra 50g of chocolate and brush the inside of the tart shell, then add the filling, when it has cooled down. For the chocolate Ganache, boil 75g of cream and add 75g of chocolate and mix until the mixture is smooth. Pour Ganache on top of tart and smooth with a spatula, when cold dust with bitter cocoa and garnish as you wish.

CROSTATINA DI NOCCIOLE E GANACHE AL CIOCCOLATO

Pasta sfoglia:	250g farina "00"
	125g zucchero a velo
	un uovo intero
	un tuorlo
	100g burro
Ripieno per la crostatine:	150g zucchero grezzo
	150g nocciole tritate
	75g burro
	50ml di panna liquida

Mischiare velocemente gli ingredienti nel mixer e poi finire di mescolare con le mani; avvolgere la sfoglia nella pellicola, e mettere nel frigo per due ore; spianare la sfoglia dallo spessore di 5mm, e rivestire le formine, dal diametro 10cm, che avrete precedentemente imburrato. Punzecchiate il fondo delle crostatine con una forchetta, copritele con carta da forno e poi con uno strato di fagioli secchi; cuocere nel forno caldo 160 – 180 gradi per 15 - 20 minuti; questa ricetta e' per 6 crostatine.

Mettere gli ingredienti del ripieno in una pentola, e fare bollire; fare cuocere a fuoco lento per 5 minuti. Fare raffreddare il ripieno per qualche minuto.

Sciogliere 50g di cioccolato, al forno micro onde, e pennellare l'interno della crostatina; quindi, aggiungere il ripieno intiepidito.

Per la Ganache di cioccolato: fare bollire 75ml di panna liquida, aggiungere 75g di cioccolato spezzettato e mescolare bene ottenendo cosi' una salsa liscia; versare la ganache sulla crostatina livellandola con una spatola. Spolverare con cacao amaro e guarnire a piacere

Dessert & Small Cakes / Dolci e Piccola Pasticceria

MILLEFOGLIE WITH PASSIONFRUIT CREAM

Cut strips of ready made puff pastry, 6cm x 12cm, approximately, 3 pieces per serves. Put on a baking tray lined with baking paper, prick each piece of pastry with a fork, this stops the pastry from puffing up too much, then cover with another sheet of baking paper and top with another baking tray, this process also, stop the pastry from puffing. Bake in a hot oven, 200 degrees for 25- 30 minutes until golden brown.

Make ½ litre of pastry cream and flavor with passion fruit pulp, sweetened with 2 tablespoons of icing sugar, 3 – 4 fruits should be enough, or to taste. Then fold through 200ml of cream whipped firm. Sandwich 3 pieces of cooked puff pastry with cream, garnish with berries or your favourite fruit, dust with icing sugar and garnish to taste.

MILLEFOGLIE CON CREMA AL FRUTTO DELLA PASSIONE

Tagliate, dei rettangoli, di pasta frolla, gia' pronta, 6cm x 12cm, 3 pezzi per ogni porzione; mettete i pezzi di sfoglia, in una teglia, foderata con carta da forno, punzecchiate i pezzi di sfoglia con una forchetta, coprite con un altro foglio di carta da forno e poi un'altra teglia di sopra, cosi' la sfoglia risultera' fine; fate cuocere, i rettangoli di frolla, a forno caldo, 200 gradi per 25 – 30 minuti.

Ripieno: preparare 1/2 litro di crema pasticciera, fatela raffreddare e aggiungete la polpa di 3 – 4 frutti della passione, addolcite con 2 cucchiaia di zucchero semolato, montate 200ml di panna e aggiungetelo alla crema pasticciera che avrete raffreddato in frigo. Farcite due strati di frolla, con la crema e frutti di bosco a piacere.

Dessert & Small Cakes / Dolci e Piccola Pasticceria

OCCHI DI BUE – CAMIGLIATELLO

Short pastry:
- 250g "oo" plain flour
- 125g pure icing sugar
- 100g unsalted butter
- 1 whole egg
- 1 egg yolk
- grated zest of 1 lemon

Almond paste:
- 250g almond meal
- 150g caster sugar
- 2 - 3 egg whites
- 1/2 teaspoon almond essence

Short pastry:
Put in an electric mixer: flour, sugar, chopped butter, lemon rind, with dough hook until the mixture resembles crumbs. Then add egg and yolks until mixture is just coming together. Do not over mix dough or it will be too hard to handle. Refrigerate mixture up to 12 hours before using.

Almond paste:
Put all ingredients in a bowl and mix well.

When ready to make biscuits, roll short pastry one cm tick and cut circles of 10cm diameter. Pipe almond paste around circle, put jam in the middle if using. If not, bake them for 15 minutes in preheated oven, when cool add the ganache or Nutella if using.

OCCHI DI BUE – CAMIGLIATELLO

Sfoglia:
- 250g farina "oo'
- 125g zucchero a velo
- 100g burro
- 1 uovo intero
- 1 tuorlo la buccia grattugiata di un limone

Pasta di mandorle:
- 250g farina di mandorle
- 150g zucchero semolato
- 2- 3 albumi
- ½ cucchiaino di essenza di mandorle

Sfoglia:
Mettere nel mixer elettrico la farina, lo zucchero, il burro tagliato a pezzetti, la scorza di limone grattugiata, mescolare per 5 – 10 minuti poi aggiungere l' uovo e iI tuorlo; mescolare per altri 5 minuti, levare l'impasto dal mixer e finire di impastare velocemente a mano; avvolgere la sfoglia nella pellicola, e mettere in frigo per circa 12 ore.

Pasta di mandorle:
Mescolare velocemente in una ciotola capace, la farina di mandorle, lo zucchero, con gli albumi e l'essenza di mandorle, l'impasto dovrebbe risultare non troppo morbido.

Tirate la sfoglia con il matterello dallo spessore di 1cm, tagliate con il tagliapasta rotondo dei cerchi dal diametro di 10cm. Mettere l'impasto di mandorle nel sac a poche e fare un cordoncino intorno alla circonferenza del cerchio di sfoglia; se usate la marmellata, mettete un cucchiaino nel centro, prima di cuocere i biscotti; se usate la Nutella, oppure la ganache, questi vanno messi al centro dei biscotti quando i biscotti sono cotti e raffreddati.

Dessert & Small Cakes / Dolci e Piccola Pasticceria

PROSECCO PANNA COTTA

350ml cream
1 teaspoon of vanilla essence
100g caster sugar
10g gelatin leaves
350ml cream whipped to
soft peak
250ml Prosecco
10 - 12 moulds

1. Spray moulds with vegetable oil and chill.

2. Heat in a small pot, the cream, sugar and vanilla bean to simmer. Soften gelatin leaves in cold water, squeeze excess water and put in hot milk. Stir to make sure gelatin has melted.

3. Put mixture in a stainless steel bowl. Stand bowl in a larger bowl filled with ice to cool mixture quickly, then add whipped cream, the Prosecco and mix well.

4. Pour mixture into moulds and refrigerate overnight.

5. Remove from mould and garnish as desired.

PANNA COTTA AL PROSECCO

350g panna liquida
350g panna montata
1 cucchiaino di essenza di vaniglia
100g di zucchero semolato
10g di gelatina
250ml Prosecco
10 – 12 stampini di silicone
spruzzati con olio vegetale

1. Mettere la panna liquida, lo zucchero e la vaniglia in una pentola e riscaldare senza far bollire.

2. Immergere I fogli di gelatina in acqua fredda fino a quando la gelatina si e' ammorbidita, strizzare bene e aggiungere nella panna calda. Mescolare bene.

3. Mettere la crema in una ciotola, e poi questa, in un'altra ciotola piu' grande con del ghiaccio in modo che la crema si raffreddera' velocemente. Girare la crema con una spatola per agevolare il raffreddamento.

4. Aggiungere alla crema la panna montata e infine il Prosecco, mescolando bene.

5. Versare la crema nei stampini e mettere in frigo per 12 ore.

6. Servire con frutti di bosco a piacere.

PEACHES WITH ALCHERMES

Pastry: **400g "oo" flour**
100g melted butter
200g caster sugar
2 eggs
one tablespoon milk
15g baking powder or 1 bag of Bertolini baking powder

Pastry cream: **500ml milk**
4 egg yolks and 120g caster sugar
40g flour
one teaspoon of vanilla essence

Garnish: **100ml Alchermes**
½ cup caster sugar

Mix eggs and sugar until fluffy, add the flour, the melted butter and mix well. Rest mixture for 10 minutes, then add the baking powder diluted in the milk, mix quickly and stir through. Line 2 baking trays with baking paper; make small balls, 25g each, with the mixture, put them on the tray and bake in a preheated oven, 180 degrees, for 10 – 15 minutes, without opening the door of the oven.

Make the pastry cream, mix the yolks with the sugar then add the vanilla essence, the flour, mix well. Heat the milk and add to creamy mixture, put mixture in a small pot and bring to the boil, cook until the mixture thickens. Put cream in a bowls and cover with cling film. When the biscuits and the cream, have cooled down, cut out a small amount of pastry from the base of the biscuit, fill the biscuits with crème, place the two biscuits together, from the base, forming a peach. Quickly dip the 'peaches' in the Alchermes, roll them in sugar and put them in a paper patty to serve.

PESCHE ALL'ALCHERMES

Per la pasta: **400g farina "oo"**
100g burro fuso
200g zucchero semolato
2 uova
un cucchiaio di latte
una bustina di lievito per dolci

500ml latte
Per la crema: **4 tuorli**
120g zucchero
40g farina
un cucchiaino di essenza di vaniglia
100ml di Alchermes
Per finire: **½ tazza di zucchero**

Sbattete le uova e lo zucchero fino a ottenere un composto spumoso, aggiungete la farina e il burro, mescolate bene, fate riposare l'impasto per 10 minuti, poi aggiungete, velocemente, il lievito sciolto in un cucchiaio di latte. Rivestite due teglie con carta da forno e poggiatevi delle palline di impasto un po piu' grande di una noce, di 25g. Fate cuocere in forno riscaldato a 180 gradi per 10 – 15 minuti, senza aprire lo sportello durante la cottura.

Nel frattempo preparate la crema, lavorate I tuorli con lo zucchero e, sempre mescolando, aggiungete la farina, l'essenza di vaniglia, riscaldate il latte e aggiungetelo all'intingolo, mescolate bene. Mettete l'intingolo in una pentola capace, e portate a bollire a fuoco basso, fino a quando la crema e' densa. Mettete la crema in una ciotola, copritela con la pellicola e fate raffreddare in frigo. Quando i dolcetti e la crema saranno freddi, scavate un poco della base di ogni dolcetto, riempitelo di crema e accoppiate le basi dei dolcetti due a due formando le pesche. Bagnatele velocemente con l'Alchermes, rotolatele nello zucchero e adagiateli in pirottini di carta individuali.

Dessert & Small Cakes / Dolci e Piccola Pasticceria

PEAR & PISTACHIO CREAM TART

Short pastry:
> 250g "00", 125g pure icing sugar, one whole egg, one egg yolk, 100g butter

Mix all ingredients in an electric mixer and as it starts to come together, finish mixing by hand. Wrap dough with cling film and refrigerate for 2 hours. Roll out pastry 5mm thick and line buttered small tart moulds, 10cm in diameter, prick bottom of tart shell with a fork and then line with baking paper and cover with a layer of dried beans. Bake the tart shells in a moderate oven 160 -180 degrees for 15 minutes. Remove beans and cool. This recipe yields 4 – 6 tart shells.

Poach 3 pears a day before you serve these tartlets. Peel, core and cut in half 3 pears. Poach them in a pot with one litre of red wine, 250g of sugar, 2 cinnamon quills and 3 pieces of star anise. Cook for 20 minutes. Cool down and refrigerate.

Pistachio cream:
> 500ml milk, 50g caster sugar, 40g pistachio paste, 4 egg yolks, 60g flour, 50g chopped pistachio nuts, 125ml whipped cream

Beat the egg yolks, sugar and flour for 5 minutes. Bring milk to the boil and add to egg mixture. Bring mixture back to the boil and cook 5 minutes. Take custard off the heat, add the pistachio cream, and cool in refrigerator, and cover with cling film. For service: add the whipped cream and chopped pistachio nuts to the custard. Fill tart shells with custard and top with half poached pear.

CROSTATINA DI PERE E CREMA AL PISTACCHIO

Pasta sfoglia:
> 250g farina "00", 125g zucchero a velo, un uovo intero, un tuorlo, 100g burro.

Mischiare velocemente gli ingredienti nel mixer e poi finire di mescolare con le mani; avvolgere la sfoglia nella pellicola, e mettere nel frigo per due ore; spianare la frolla dallo spessore di 5mm, e rivestire le formine, dal diametro 10cm, che avrete precedentemente imburrato. Punzecchiate il fondo delle crostatine con una forchetta, copritele con carta da forno e poi con uno strato di fagioli secchi; cuocere nel forno riscaldato 160 – 180 gradi per 15 - 20 minut; questa e' per 6 crostatine.

Pere cotte nel vino:
Pelare e pulire 3 pere, tagliatele a meta' e cuocere in una pentola capace con un litro di vino rosso, 250g zucchero, 2 pezzi interi di canella, 3 pezzi di anice stellate. Cuocere per 20 minuti, Raffreddare in frigo lasciando le pere nel liquido; le pere vanno cotte il giorno prima.

Crema pasticciera:
> 500ml latte, 50g zucchero, 60g farina, 4 tuorli, 40g crema di pistacchi, 50g di pistacchi tritati and 125ml panna montata.

Fare la crema, quando e' ancora calda, aggiungere la crema di pistacchi, Raffreddare in frigo per un'ora; quindi aggiungere I pistacchi tritati e la panna montata. Per servire, mettete la crema nelle crostatine e guarnire con una mezza pera cotta nel vino.

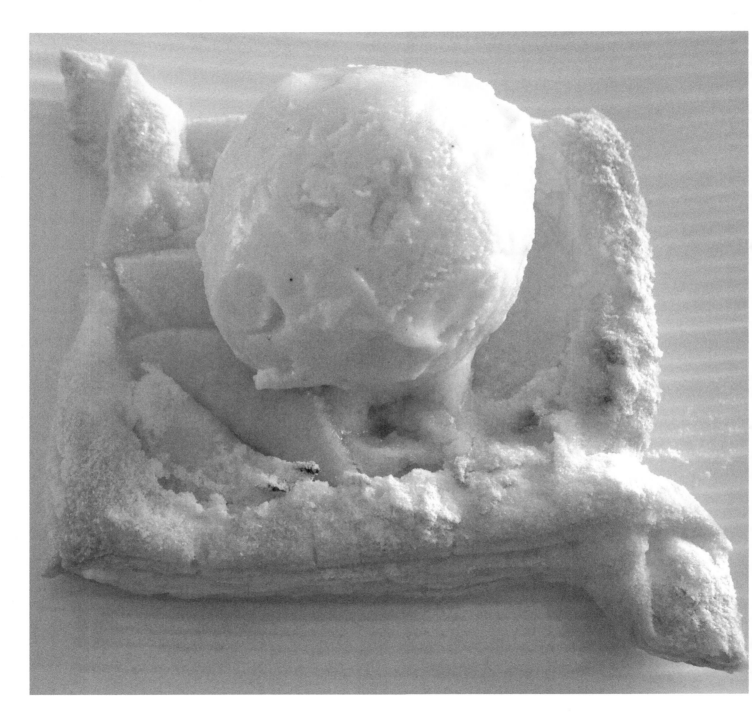

Dessert & Small Cakes / Dolci e Piccola Pasticceria

PEAR GALETTE SERVED WITH ICE CREAM

For the Galette: **one sheet of puff pastry 25cm X 25cm cut in 4 equal squares two pears, peeled and thinly sliced**

Frangipane Filling: **125g butter 125g Caster sugar 125g Almond meal one egg white**

Work the butter and sugar in an electric mixer until the mixture is fluffy, and then combine with almond meal and egg white. This mixture is for about 12 – 15 Galette, you can use all or freeze it and use for another recipe.

Cut Puff pastry in 4 squares, make 2 L shaped incisions on the opposite side of pastry square, lift corners and go cross over to form a frame. Put some Frangipane filling in the square and top with thinly sliced pears, cover with caster sugar and bake in a hot oven, 200 degrees, for 30 minutes, serve with your favourite ice cream.

TARTELLETTE DI PERE CON GELATO

Per leTartellette: **un foglio di pasta frolla confezionata, 25cm X 25cm, tagliato in quattro due pere pelate e tagliate a fettine sottili**

Crema Frangipane: **125g burro 125g zucchero semolato 125g farina di mandorle un albume**

Lavorate il burro e lo zucchero nel mixer elettrico fino a quando il miscuglio e' morbido e leggero, aggiungere la farina di mandorle e l'albume. Questa ricetta e' per circa 12 – 15 Tartellette, potrete congelare quello che avanza per un' altra ricetta.

Tagliate il foglio di Frolla in 4 quadrati, fate 2 incisioni a forma di "L" su due angoli di fronte, sollevate gli spigoli e incrociateli fino a quando formeranno una cornice. Mettete la crema Frangipane al centro e coprite con fettine di pere sottili, spolverate con un po di zucchero semolato. Fate cuocere a forno caldo, 200 gradi, per 30 minuti, servite le Tartellette caldo con il vostro gelato preferito.

Dessert & Small Cakes / Dolci e Piccola Pasticceria

PISTACHIO PANNA COTTA

Fresh cream 300g
whole milk 100g
150g caster sugar
50g Pistachio paste
4g gelatin sheets

Soak the gelatin sheets in cold water; heat
the milk, 150g cream and the sugar without
bringing to the boil, remove from the heat,
add the gelatin sheets that have been softened,
the pistachio paste, mix well; let rest for 15
minutes until the mixture is cold. Strain the
mixture. In a stainless steel bowl, whip the
remaining cream, add to the cooled mixture,
mix well then pour into 4 Dariole moulds
that have been sprayed with vegetable oil.
Refrigerate for at least 3 hours before serving;
garnish to taste!

PANNA COTTA AL PISTACCHIO

Panna liquida 300g
latte intero 100g
zucchero semolato 150g
50g pasta di pistachio
gelatina in fogli 4g

Mettete a bagno la gelatina, in una ciotola
di acqua fredda. Scaldate in una casseruola
il latte e 150g di panna e lo zucchero, senza
fare prendere il bollore. Togliete dal fuoco e
aggiungete la gelatina ammollata e strizzata e
la pasta di pistachio, mescolate bene, lasciate
intiepidire e filtrate il composto. Montate il
resto della panna e aggiungetela al composto,
mescolate tutto delicatamente e versate in 4
stampini monoporzione. Lasciate in frigo per
almeno 3 ore; guarnite a piacere.

RUM BABA

For the Baba:	**50g butter**
	200g flour
	1 teaspoon salt
	5g dried yeast
	15g sugar
	4 eggs
Rum syrup:	**one teaspoon of vanilla essence**
	caster sugar 200g
	grated zest of one lemon
	120ml rum
Vanilla mascarpone:	**2 egg yolks**
	60g icing sugar
	1 teaspoon vanilla essence
	350g of mascarpone

BABA AL RUM

Impasto per il Baba:	**50g burro fuso**
	200g farina
	un cucchiaino di sale
	5g lievito secco
	15g zucchero semolato
	4 uova intere
Sciroppo al rum:	**un cucchiaino di essenza di vaniglia**
	200g zucchero semolato
	una scorza di limone grattugiata
	and 120ml rum
Mascarpone alla vaniglia:	**2 tuorli**
	60g zucchero a velo
	un cucchiaino di essenza di vaniglia
	350g mascarpone

Dessert & Small Cakes / Dolci e Piccola Pasticceria

For the Baba:

Preheat the oven to 190 degrees; melt the butter in the microwave. In a mixing bowl with a dough hook attachment, mix the flour, salt, yeast, sugar and eggs, until smooth and shiny; add the melted butter and mix well. Cover the bowl and leave to rise for one hour or until the dough has doubled in volume. Grease 6 individual dariole mould, 125ml, grease with butter, and fill each container 2/3; leave to rise for about 15 minutes or until the dough fills the top of each mould. Bake for 10 minutes until golden. Remove the tray from the oven and then, carefully, remove each cake from the mould and immerse in the cold rum syrup for at least 2 hours or overnight. Serve rum baba with mascarpone cream – this recipe makes 6 baba.

Rum syrup:

Add the teaspoon of vanilla essence into the pot with the sugar, lemon zest and 500ml water and bring to the boil, once boiling, remove from heat, cool before adding the rum, put syrup in fridge.

Vanilla mascarpone:

Beat together the egg yolks, icing sugar and vanilla essence until pale and creamy; add a large dollop of mascarpone and mix well, then fold the rest of the mascarpone and refrigerate

Serve the Rum Baba with syrup and a dollop of vanilla mascarpone.

Impasto per il baba:

Riscaldate il forno a 190 gradi, fate sciogliere il burro nel forno microonde; mettete la farina, sale, il lievito, lo zucchero nel mixer elettrico, e con il gancio mescolate bene, poi aggiungete le uova e mescolate fino a quando l'impasto e bello liscio, aggiungete il burro fuso, mescolate bene; coprite la ciotola, con la pellicola, e lasciate, nell'ambiente per un'ora oppure fino a quando l'impasto sara' raddoppiato di volume. Ungete di burro, 6 stampi, capacita' 125ml, riempite ogni stampo a 2/3 con l'impasto, lasciate riposare, i baba per 15 minuti, oppure fino a quando l'impasto cresce e riempie lo stampo fino al bordo; mettete i baba nel forno, e fate cuocere per 10 minuti, fino a quando saranno belli dorati; levate la teglia dal forno, levate attentemente ogni baba e immergeteli nello sciroppo per almeno 2 ore.

Sciroppo al rum:

Mettete in una pentola, il cucchiaino di essenza di vaniglia, aggiungete, lo zucchero, la scorza di limone e 500ml di acqua, fate bollire a fuoco medio, quando lo sciroppo avra' bollito, levatelo dal fuoco, fatelo raffreddare e poi aggiungete il rum, mettetelo in frigo.

Mascarpone alla vaniglia:

Fate sbattere, nel mixer elettrico I tuorli, lo zucchero, e l'essenza di vaniglia, fino a quando il miscuglio e' cremoso; aggiungete un cucchiaio di mascarpone, mescolando bene, poi aggiungete il resto del mascarpone e quando il miscuglio e' diventato liscio mettetelo in frigo; servite i baba con la crema di mascarpone.

Dessert & Small Cakes / Dolci e Piccola Pasticceria

SFOGLIATELLE

Pastry: **400g flour "oo"**
          100g butter, plus 70g for
          brushing pastry
          50g caster sugar
          a pinch of salt
          100 – 120ml of water
          2 yolks, for brushing
          before baking

Filling: **500ml water**
          150g semolina
          250g ricotta
          150g icing sugar plus an
          extra 50g icing sugar for
          dusting the sfogliatelle
          one egg
          150g mixed candied fruit
          one teaspoon of vanilla
          essence
          a pinch of ground nutmeg

Pastry:
Mix, in the bowl of an electric mixer, the flour, 100g of butter, the caster sugar and mix with the dough hook for 5 minutes, then add the water a little at a time, the dough should result quite firm, finish mixing by hand, wrap dough in cling film and refrigerate for one hour.

Filling:
Bring 500ml of water to boil, add slowly the semolina and mix so that no lumps form, bring back to boil and cook for 5 minutes, put mixture in a bowl and cool down, then add the ricotta, 150g icing sugar, one whole egg and the chopped candied fruits, add the vanilla essence and a pinch of nutmeg, cover with cling film and refrigerate.

SFOGLIATELLE

Pasta: **400g farina "oo"**
          100g burro, piu' altri 70g
          burro per pennellare i fogli di
          pasta
          50g zucchero semolato
          100 – 120ml acqua
          2 tuorli, per pennellare le
          sfogliatella prima di infornare

          500ml acqua
Ripieno: **150g semolino**
          250g ricotta
          150g zucchero a velo, ed
          altri 50g zucchero a velo per
          spolverare le sfogliatelle
          un uovo
          150g canditi misti sminuzzati
          un cucchiaino di essenza di
          vaniglia e un pizzico di noce
          moscata

Pasta:
Mettete la farina nella ciotola del mixer elettrico, incorporate 100g di burro, lo zucchero semolato, mescolate con la foglia a gancio, per 5 minuti, poi aggiungete l'acqua un po alla volta, per ottenere un impasto sodo ed elastico, avvolgetelo nella pellicola e fate riposare in frigo per un'ora.

Ripieno:
Fate bollire 500ml d'acqua, versatevi il semolino a pioggia, ripreso il bollore, fate cuocere per 5 minuti, rimescolando. Togliete il semolino dal fuoco, fatelo raffreddare e trasferitelo in una terrina, incorporate la ricotta, 150g di zucchero a velo, un uovo, i canditi sminuzzati, un cucchiaino di essenza di vaniglia e un pizzico di noce moscata. Fate riposare il composto in frigorifero coperto con la pellicola.

Dessert & Small Cakes / Dolci e Piccola Pasticceria

Melt 70g of butter, divide the dough into 7 equal pieces, put each piece through pasta machine, to the thinnest setting, each sheet of dough should be even and rectangular in shape, brush with melted butter, process another piece of dough, through pasta machine and place on top of buttered sheet, make sure the sheets of dough are smooth and even, one on top of the other, proceed in this manner until all the dough has been processed, rest for 30 minutes then roll dough onto itself, as you would for a Swiss roll; wrap dough in cling film and refrigerate for one hour. Trim the ends of the roll and cut slices of dough 1cm thick, place slices of dough on a board and roll very gently with a rolling pin from the centre up towards the left, and from the centre down towards the right, you should get a large diamond shape piece of dough, top with one tablespoon of filling, fold in half and seal. Put sfogliatelle on a baking tray lined with baking paper, whisk the 2 egg yolks and brush sfogliatelle with the mixture; bake in a preheated oven, 200 degrees for 20 minutes, then turn down to 180 degrees for another 20 minutes and finally, turn oven down 160 degrees for 10 minutes; serve sfogliatelle warm and dust with remaining icing sugar.

Fate liquefare 70g di burro; dividete l'impasto in 7 pezzi ugual, fateli passare uno per uno nella macchinetta della pasta, i fogli dovranno essere di dimensioni rettangolari, uguali e finissimi, pennellateli di burro e sovrapponeteli; fate riposare per mezz'ora. Arrotolate le sfoglie sovrapposte, rifilate le estremita' del rotolo e tagliatelo a fette larghe 1cm circa; poggiate orizzontalmente una fetta sulla spianatoia, stendetela delicatamente con il matterello, agendo dal centro verso sinistra in alto, quindi dal centro verso destra in basso; otterrete una larga losanga al centro della quale depositate un cucchiaio di ripieno; piegatela in due, facendo aderire i bordi e sigillandoli, adagiate le sfogliatelle su una teglia foderata con carta da forno. Riscaldate il forno a 200 gradi, pennellate le sfogliatelle con I tuorli sbattuti, fate cuocere per 20 minuti; abbassate la temperature a 180 gradi fate cuocere per 20 minuti, poi abbassate la temperatura a 160 gradi fate cuocere per altri 10 minuti; servite le sfogliatelle calde cosparse dello zucchero a velo.

CAKES
TORTE

Gluten free tip!

For a gluten free cake, replace 200g of plain flour with 200g almond meal, the total amount of almond meal should be, 260g, then proceed the same way as for the above cake.

Per una torta senza glutine, sostituite la farina, con 200g farina di mandorle, in tutto dovrete usare, 260g farina di mandorle, il procedimento e' uguale alla ricetta che ho gia' scritto.

APPLE & ALMOND CAKE

For the cake: 250g soft butter
200g caster sugar
40g brown sugar
6 eggs
60g almond meal
200g plain flour
2 teaspoons baking powder
the juice, and grated rind of
one lime

Caramelised apples: 40g butter
5 Granny Smith apples
each apple, peeled and cut
into 8 wedges
60g brown sugar

Preheat oven to 180 degrees, line a baking tin, 25cm diameter, with baking paper. For the apple mixture, melt the butter in a frying pan, over medium heat; add the apples and cook, turning, until golden and slightly soft, about 5 minutes. Add the brown sugar and cook until the sugar caramelises and forms a syrup, 3 minutes. Remove the apples from heat, and when cool enough to handle, arrange apple slices in a single layer, over the base of the cake pan, set aside.

Beat the butter, caster sugar and brown sugar in an electric mixer, and beat until thick and pale. Beat in the eggs one at a time, then fold, the almond meal, the flour, baking powder, lime juice and lime zest, mix well. Pour the batter over the apples and bake for approximately, one hour. Cool the cake completely, 3 -4 hours, invert cake onto serving plate, melt 2 tablespoons of apricot jam with a little water, one tablespoon, and brush over cake, sprinkle cake with flaked almonds and serve. The cake is better if served at room temperature.

TORTA DI MELE & MANDORLE

Per la Torta: 250g burro morbido
200g zucchero semolato
40g zucchero grezzo
6 uova
60g farina di mandorle
200g farina
½ bustina di lievito per
dolci, il succo e la scorza di
un lime

Mele caramellate: 40g burro
5 mele Granny Smith,
ognuna pelata e tagliata a 8
spicchi
60g zucchero grezzo

Riscaldate il forno a 180 gradi, foderate una teglia rotonda dal diametro 25cm, con carta da forno. Per le mele, mettete il burro in una padella grande, a fuoco medio; aggiungete le mele e fate cuocere, girandole, fino a quando sono leggermente morbide, per 5 minuti. Aggiungete lo zucchero grezzo e fate cuocere fino a quando lo zucchero diventa uno sciroppo, circa 3 minuti. Levate la padella, con le mele, dal fuoco, fate raffreddare. Mettete le fette di mele sul fondo della teglia, poi mettetela da parte.

Fate sbattere il burro e lo zucchero a velo, e lo zucchero grezzo, nel mixer elettrico, per 5 minuti; aggiungete le uova uno alla volta, poi aggiungete le farine con il lievito, la scorza grattugiata, e il succo del lime, mescolate bene; mettete, delicatamente, questo impasto sulle mele, che avete gia cotto, nella teglia preparata. Fate cuocere la torta, nel forno riscaldato, per circa un'ora. Fate raffreddare la torta per 3 – 4 ore prima di servirla; capovolgete la torta su un piatto grande, riscaldate 2 cucchiaia di marmellata di albicocche, con un cucchiaio d'acqua, e spalmate lo sciroppo sulla torta; guarnite la torta con filetti di mandorle.

CANDIED ORANGE, GRAND MARNIER AND RICOTTA TART

For the pastry:
250g flour
125g icing sugar
one whole egg
one egg yolk
100g butter
grated zest of one lemon

For the filling:
400g ricotta
120g caster sugar
2 eggs
120ml cream
150g candied Citrus fruit, that you have chopped very fine, soaked in 50ml Grand Marnier one teaspoon of vanilla bean paste
egg wash for brushing tart before cooking

CROSTATA DI RICOTTA E ARANCE CANDITE AL GRAN MARNIER

Sfoglia:
250g di farina
125g di zucchero a velo
un uovo intero
un tuorlo
100g burro
la buccia grattugiata di un limone

Ripieno:
400g ricotta
120g zucchero semolato
150g Agrumi canditi, tagliati a cubetti e inzuppati con 50ml di Grand Marnier, per un'oretta
un cucchiaino di essenza di vaniglia
125ml di panna liquida
2 uova intere

Pastry:

Put all the ingredients in the bowl of an electric mixer with a dough hook, and mix until the dough comes together.

Finish mixing by hand, wrap dough with cling film, and refrigerate for 2 hours. Roll out pastry to a thickness of 5mm and line a tart mould, diameter 26 – 30cm, which has been greased with butter. Remove excess dough, and prick bottom of tin with a fork. Line the pastry with baking paper and cover with dried beans. Bake in a moderate oven 160 – 180 degrees, 15 – 20 minutes. You should have enough dough leftover to cut some strips to finish the tart, whilst the tart shell is cooking, refrigerate the dough strips.

Filling:

Beat ricotta and sugar in a bowl, until smooth, then add eggs, cream and vanilla essence, mix well, 5 minutes, then fold candied fruit with the Grand Marnier.

Spoon filling into the tart shell. Arrange pastry strips in a lattice pattern on top and brush with a little egg wash. Bake in a preheated oven 160 -180 degrees for 30 – 40 minutes, or until filling has set.

Sfoglia:

Mescolate, tutti gli ingredienti, per la sfoglia, nel mixer elettrico; avvolgete la pasta nella pellicola, e mettere in frigo per 2 ore; spianate la sfoglia dallo spessore di 5mm, rivestire una tortiera per crostate, diametro 26 – 30cm, unta di burro; punzecchiate il fondo con una forchetta e copritela con un foglio di carta da forno, e poi con uno strato di fagioli secchi; fate cuocere la crostata a forno caldo 160 – 180 gradi per 20 minuti; vi avanzera' un po di frolla, tagliate delle striscie large 2cm per finire la crostata, nel frattempo, mettetele in frigo, su una teglia da forno.

Ripieno:

In una ciotola capace, sbattete la ricotta con lo zucchero, aggiungete, le uova, la panna e la vaniglia, e infine I canditi con il Grand Marnier. Quando la crostata e' fredda, aggiungete il ripieno.

Accomodare le striscie di frolla sopra il ripieno e pennellare con dell 'uovo sbattuto. Cuocere, a forno caldo, 160 – 180 gradi, per 30 – 40 minuti, oppure fino a quando il ripieno si e' addensato; guarnire a piacere.

Cakes / Torte

JAM TART

200g plain flour
1 teaspoon baking powder
150g caster sugar
120ml vegetable oil
1 teaspoon vanilla essence
2 eggs
1 pinch of salt
small jar of your favourite
jam

Spray a baking tin 24cm diameter with oil spray, put aside, and preheat the oven to 180 degrees. Mix flour, sugar, baking powder and the salt in a large bowl by hand, add vanilla essence and the eggs, mix well, at last add the oil in a drizzle whilst mixing making sure the mixture is smooth. Put the mixture in the baking tin and smooth with a spatula. Spread the jam on top of the mixture and flatten it with the back of a spoon slightly. Bake cake for 35 – 40 minutes, cool cake down and serve with a dusting of icing sugar and some Chantilly cream.

CROSTATA MORBIDA CON MARMELLATA

200g farina
un cucchiaino di lievito in polvere
150g zucchero semolato
120ml di olio di semi
un cucchiaino di essenza di
vaniglia
2 uova
un pizzico di sale
un vasetto di marmellata a piacere

Vi occorrera' una teglia da forno dal diametro di 24cm, unta con olio; riscaldate il forno a 180 gradi. In una ciotola mescolate la farina, il lievito, lo zucchero e il sale; unite l'aroma di vaniglia e le uova, mescolate bene; unite l'olio a filo finche' non avrete un impasto morbido, distribuite il miscuglio nella teglia, livellate l'impasto con una spatola, aggiungete la marmellata sulla superficie dell 'impasto con un cucchiaio, premendo, leggermente la marmellata. Fate cuocere a forno caldo per 35 – 40 minuti; fate raffreddare poi spolverate la superficie con zucchero a velo e servite con crema Chantilly.

Cakes / Torte

HAZELNUT & CHOCOLATE TORTE

250g hazelnut meal
300g dark chocolate
250g softened butter
220g caster sugar
6 eggs separated
100ml cream

Preheat the oven to 180 degrees. Grease and line a 22cm baking tin with baking paper. Chop 200g of the chocolate in a food processor and whiz until finely chopped. Set aside. Using electric beaters beat the butter and 160g of the caster sugar until thick and pale. Add yolks one at a time, beating well after each addition, until combined. Gradually add ground chocolate and hazelnut meal. In a clean, dry bowl whisk the egg whites with remaining sugar until stiff and glossy, then fold through the chocolate mixture a little at a time until combined thoroughly. Pour mixture in the prepared tin and bake for one hour. Cool cake for several hours before finishing the cake.

Bring cream to boil in small pot, then add the remaining chocolate and stir with a wooden spoon until smooth. Cool, and then spread the ganache over the cake. As an option you can make a hazelnut praline, by making toffee, not too dark, and pouring over toasted hazelnuts, spread on a baking tray, covered with baking paper. When the toffee is cold, snap and garnish cake with it.

TORTA DI NOCCIOLE E CIOCCOLATO GF

250g farina di nocciole
300g cioccolato fondente
250g burro morbido
220g zucchero semolato
6 uova, albumi e tuorli separati
100ml di panna liquida

Riscaldate il forno a 180 gradi. Imburrate, e foderate, una teglia con carta da forno, dal diametro di 22cm. Tritate nel mixer 200g di cioccolato fondente, molto fine. Mettete il cioccolato tritato da parte. Sbattete il burro con 160g di zucchero, nel mixer elettrico, fino a quando il miscuglio sara' leggero e spumoso. Aggiungete i tuorli, uno alla volta, mescolate bene. Gradualmente aggiungete il cioccolato tritato, e poi la farina di nocciole. In un' altra ciotola, sbattete a neve, gli albumi con lo zucchero che e' rimasto, con la frusta elettrica. Aggiungete, un po alla volta gli albumi all 'impasto e mescolate bene; mettete l'impasto, nella teglia preparata, e fate cuocere la torta, per un'ora. Levate la torta dal forno, fate raffreddare completamente prima di guarnirla con la ganache.

Fate bollire la crema in un pentolino, a fuoco basso, aggiungete il cioccolato che e' rimasto e mescolate bene. Fate raffreddare la ganache, e poi spalmate sulla torta; se vi piace, potete fare un caramello con 100g di zucchero semolato e 50g di acqua, versatelo su nocciole tostate, quando, il croccante e' freddo, spezzate un po di pezzi e decorate la torta a piacere

Cakes / Torte

LEMON TART

For the pastry:	250g "oo" flour
	125g icing sugar
	one whole egg
	one egg yolk
	100g butter
	the grated rind of one lemon
For the filling:	3 lemons
	4 eggs
	160g caster sugar
	80g almond meal
	20ml cream

Put all ingredients in the bowl of an electric mixer and mix until the dough comes together. Finish mixing by hand, wrap dough in cling film and refrigerate for 2 hours. Roll out pastry to a thickness of 5mm and line a tart mould, diameter 26 – 30cm, which has been lined with butter. Remove any excess dough and prick bottom of tin with a fork. Line the pastry with baking paper and cover with a layer of dried beans. This process stops the dough from rising. Bake in a moderate oven 160 – 180 degrees for 15 – 20 minutes. Remove beans and cool tart shell.

Filling:
Beat eggs and sugar together for 2 – 3 minutes by hand, and then add the lemon zest, the juice of the lemons, the almond meal and the cream. Pour mixture into tart shell and bake in a preheated oven, 160 – 180 degrees until set, 10 – 15 minutes. When the tart is cold, dust with icing sugar.

CROSTATA DI LIMONE

Sfoglia:	250gr "oo" farina
	125gr di zucchero a velo
	un uovo intero
	un tuorlo
	100gr burro
	la buccia grattugiata di un limone
Ripieno:	3 limoni
	buccia grattugiata e il loro succo
	4 uova
	160gr zucchero semolato
	80gr farina di mandorle
	200ml panna

Mischiare tutti gli ingredienti per la sfoglia nel mixer elettrico; avvolgete l'impasto nella pellicola e mettere nel frigo per un paio di ore. Spianate la sfoglia dello spessore di 5 mm e rivestite una tortiera unta di burro. Spunzecchiate il fondo con una forchetta e copritela prima con un foglio di carta da forno e poi con uno strato di fagioli secchi; fate cuocere in forno riscaldato, 160 – 180 gradi per 20 minuti, quando la crostata e' fredda levate i fagioli e la carta da forno.

Ripieno:
Sbattete, in una ciotola, le uova, lo zucchero e la farina di mandorle; poi aggiungete la buccia grattugiata e il succo dei limoni e infine la panna. Mettete il ripieno nella crostata e fate cuocere, a forno caldo 180C – 200C 20 – 30 minuti , dipende dal vostro forno. Levare la crostata dal forno e quando si è raffreddata guarnire a piacere.

Questa ricetta
e' la ricetta originale di
mia suocera, buon anima,
la signora Beryl Pulford,
grande donna! E' un dolce tipico
Inglese, di Natale, molto buono,
lo facciamo ogni anno come tutti
gli altri dolci, e' molto facile, e'
servito con la salsa Inglese,
in Australia si trova gia'
pronta, nei negozi.

Cakes / Torte

MUM PULFORD'S CHRISTMAS PUDDING

Put 2 tablespoons of margarine or butter in a bowl then add 1½ cups of boiling water and stir.

Then add in the following order:
3 Tablespoons of castor sugar, 2 cups brimming with mixed fruit that must include ½ cup of chopped raisins or dates, 1 Teaspoon of mixed spices, 1 Level teaspoon bicarbonate of soda, 250g "00" flour, sifted. At this stage you can add silver coins if you are using them!

Then blend all ingredients well and make sure everyone has a good stir for luck! Cover with cling film and leave in the refrigerator overnight.

On Christmas morning turn mixture into a well-greased quart sized steamer and steam for 3 hours.

Serve hot with custard or brandy sauce.

DOLCE NATALIZIO – SIGNORA BERYL PULFORD

Mettere in una ciotola capace 2 cucchiaia di burro, aggiungere una tazza e mezza di acqua, 375ml, mescolare bene in modo da fare sciogliere il burro.

Aggiungere nell'ordine seguente:
3 cucchiaia di zucchero semolato, 2 tazze colme di frutta secca, 1½ di uvetta secca, ciliege candite e scorze candite, noi la troviamo gia confezionate per fare la fruit cake, e poi ½ tazza di datteri secchi tagliati a filetti, Un cucchiaino di spezie miste, cannella, noce moscata, Un cucchiaino di bicarbonato, 250g farina "00" setacciata.

La nostra tradizione e' di unire monetine, che bolliamo bene in acqua bollente e usiamo ogni anno, come vuole la tradizione, comunque non e' necessario.

Mescolare bene gli ingredienti; di solito facciamo questo dolce la vigilia di Natale e tutti noi diamo una mescolate all'impasto per buona fortuna.

Coprire l'impasto , con la pellicola e mettere in frigo; lasciare in frigo fino al mattino di Natale. Il giorno di Natale, Imburrare una ciotola dalla capacita, 2 litri, aggiungere l'impasto, coprire con carta da forno e legare con lo spago.

Mettere il budino a cuocere in una pentola con acqua, portare a bollire e far cuocere a vapore per 3 ore a fuoco lento. Aggiungere altra acqua calda ogni tanto perche' l'acqua evapora.

Cakes / Torte

ORANGE BAKED CHEESECAKE

250g ricotta
250g Philadelphia cream cheese
300g sour cream
200g caster sugar
80g cornflour
2 eggs
grated rind of 2 oranges and its
juice

Process ricotta, cream cheese, sour cream, caster sugar, cornflour, eggs, orange rind and its juice, in the mixer, mix until smooth. Line a 20cm spring form tin with butter, pour mixture into the cake tin and smooth out with a spatula. Bake in a preheated oven, 175 degrees for 60 minutes or until set. Remove from oven and cool cake completely.

When cheesecake is completely cool, remove from tin and place on a flat serving plate, garnish with Chantilly cream and slices of glace' oranges.

CHEESECAKE ALL'ARANCIA

250g ricotta
250g formaggio Philadelphia
300g panna acida
200g zucchero semolato
80g amido di Mais
2 uova
la scorza grattugiata e il
succo di 2 arance

Passate nel mixer elettrico la ricotta, il formaggio Philadelphia, la panna acida, lo zucchero, l'amido di Mais, le uova, la scorza grattugiata delle arance and il loro succo, fino a quando non avrete un miscuglio liscio. Foderate una teglia a cerniera, diametro 20cm, con burro, mettete il miscuglio nella teglia e spianate la superficie con una spatola; fate cuocere a forno riscaldato 175 gradi per un'ora.

Quando la cheesecake e' cotta, fatela raffreddare completamente; guarnite la torta con crema Chantilly e fette di arance glassate.

Cakes / Torte

PANETTONE CAKE

**1 x 1kg Panettone sliced into
thick slices
5 whole eggs
500ml cream
500ml milk
50ml orange liquor
200gr grated Gianduia chocolate
100gr caster sugar**

Mix eggs and sugar and beat until combined.
Add cream, milk and the orange liqueur. Spray
cake mould with vegetable spray and start with
one layer of panettone then a few ladles of
egg mixture, and then sprinkle with Gianduia
chocolate until all ingredients are used.

Press mixture down with hands so that all the
liquid is absorbed into panettone slices. The
diameter of the cake tin I used is 23cm.

Cook cake for 45-50 minutes or until cake is
firm to touch.

Cool and garnish with apricot glace. Melt 2
tablespoons of apricot jam and 2 tablespoons
of water in a small pot, bring to boil and cook
for 2 minutes. Strain and cool. Brush the whole
cake with the glaze.

TORTA DI PANETTONE

**1 Panettone di 1kg tagliato a
fette spesse 2- 3 cm
5-uova intere
500ml panna
500ml latte
50ml liquore a piacere
200gdi cioccolata grattugiata
100gr zucchero**

Mescolare le uova e lo zucchero bene per un paio
di minuti, in una ciotola capace, poi aggiungere la
panna, il latte e il liquore, mescolate bene.

Imburrare la teglia con il burro, fate uno strato
con fette di panettone, aggiungere due mestoli
di latte e crema, poi spolverare con il cioccolato
grattugiato; continuare cosi', fino a quando avrete
usato, tutti gli ingredienti.

Fate cuocere la torta nel forno caldo, 180 gradi,
per circa un'ora; fate sciogliere due cucchiaia di
marmellata di pesche con due cucchiaia d'acqua;
fate bollire per 2 minuti, passate lo sciroppo con
un colino, e pennellare la superficie della torta
con lo sciroppo.

Cakes / Torte

ITALIAN CHRISTMAS CAKE

2 Sheets of rice paper
300g caster sugar
300g mixed glace' fruits
finely chopped
200g blanched almonds,
roughly chopped
200g blanched hazelnuts
roughly chopped
flour "00" 180g
1 teaspoon Mixed spices
1 teaspoon ground
Cinnamon
1 teaspoon ground
Coriander

For topping: one tablespoon
of "00" flour mixed with
one teaspoon of ground
Cinnamon.

Mix nuts, glace' fruits, flour and spices, in a
large bowl, and mix well.

Put sugar and water in a small pot and slowly
bring to boil. Cook for 5 minutes.

Remove sugar syrup from the heat and add to
the other dry ingredients, making sure that all
the ingredients combine well. Put the mixture
in a baking tin lined with rice paper, flatten the
mixture so it sits evenly in the tin.

Dust Panforte with the extra Cinnamon and
flour. Bake in a preheated oven, 160 degrees
for 30 minutes. Cool before serving.

PANFORTE

2 foglie di ostia carta di riso
300g di zucchero semolato
100g di acqua
300g di frutta candita
tagliata a cubetti
200g di mandorle spellate e tritate
grossolanamente
200g di nocciole spellate e tagliate
grossolanamente
180g di farina "00"
un cucchiaino di Cannella in polvere
un cucchiaino di Spezie Miste in
polvere
un cucchiaino di Coriandolo in
polvere

Per guarnire: Un cucchiaio di farina
"00" mischiato con un cucchiaino di
Cannella in polvere.

In una ciotola capace, mettete la frutta candita, le
noci, le mandorle, la farina e le Spezie, mescolare
bene.

Mettere lo zucchero e l'acqua in un pentolino e
portare a bollire lentamente.

Far cuocere, per 5 minuti; levate lo sciroppo
dal fuoco e aggiungetelo agli ingredienti secchi,
mescolando bene.

Foderare una tortiera dal diametro di 24cm con
le foglie delle ostie. Distribuire il miscuglio nella
tortiera, cospargete il Panforte con la farina e
Cannella; fate cuocere a forno riscaldato, 160
gradi per 30 minuti.

Start this the day before you make the cake.

Cuocere le pere il giorno prima.

Poached pears: Bring wine, water and sugar to boil in a deep pot. Add 3 – 4 cinnamon sticks, 3 – 4 star anise, then add pears and poach for 30 minutes or until pears are almost cooked, covering pot with a lid. Remove pear slices, drain and cool in the fridge. Drain juices left over and reduce on the stove on low heat until you have thick syrup. You will need this to finish the cake.

Pere cotte: Mettete il vino, l'acqua e lo zucchero in una pentola capace, aggiungere la cannella, l'anice stellate e poi aggiungere le pere; fate cuocere le pere, a fuoco lento, per 30 minuti, o fino a quando le pere sono cotte. Levate le pere dallo sciroppo e fate raffreddare, scolate lo sciroppo e fatelo cuocere, a fiamma bassa, fino a quando vi risultera' uno sciroppo denso, vi servira' per guarnire la torta.

Cakes / Torte

PEAR AND POLENTA CAKE

Poached pears:
- 3 pears peeled, sliced and each cut into eight wedges
- 3 cups of red wine
- one cup of water
- one cup of sugar

Cake:
- 300g caster sugar
- 300g butter
- 300g almond meal
- 150g polenta (finely ground)
- one lemon, juice and zest
- 3 eggs
- one teaspoon of baking powder
- one teaspoon of vanilla essence

Beat, in an electric mixer, the butter and the sugar until the mixture is light and fluffy. Then add the eggs one at time and the almond meal, polenta, the baking powder, lemon zest, lemon juice and vanilla essence. Make sure all ingredients are evenly mixed.

Line a 23cm cake tin with butter and baking paper. Put pears in a circular pattern at the bottom of the tin. Then with a spatula and very carefully, put the cake mix on top of the pears making sure the mixture is distributed evenly. Cook in a moderate oven at 180C for one hour. When the cake is ready, cool it down completely before turning cake out. Refrigerate the cake for at least 12 hours. For service brush the cake with the syrup from the poaching liquid.

TORTA DI PERE E POLENTA

Pere cotte:
- 3 pere pelate, pulite e tagliate a 8 fette, ciascuna
- 750ml vino rosso
- 250ml acqua
- 200g zucchero semolato
- 3- 4 pezzi di cannella
- 3 – 4 pezzi di anice stellate

La torta:
- 300g zucchero semolato
- 300g burro
- 300g farina di mandorle
- 150g polenta gialla(molto fine)
- un limone
- 3 uova
- un cucchiaino di baking powder, lievito
- un cucchiaino di essenza di vaniglia

Sbattere con la frusta elettrico, il burro e lo zucchero, per 10 minuti, poi aggiungere le uova uno alla volta, dopo la farina di mandorle, la polenta, il lievito, il succo e la scorza del limone grattugiata. Mescolare bene.

Foderare una tortiera dal diametro 23cm, con carta da forno, Appoggiare le fette di pere sul fondo della tortiera, in modo decorativo, poi aggiungere l'impasto, delicatamente, sulle pere. Cuocere la torta, nel forno caldo, 180 gradi, per un'oretta, quando la torta e' pronta, fatela raffreddare completamente, almeno 12 ore, prima di capovolgerla su un piatto di portata, pennellate intorno tutta la torta con lo sciroppo delle pere.

Cakes / Torte

RICOTTA & SEMOLINA CAKE

250ml milk
750ml water
80g butter
2 lemons
200g semolina
300g ricotta
3 eggs
200g caster sugar
2 teaspoons vanilla extract

Passionfruit glace: juice and pulp of 6 – 8 passionfruit
100g caster sugar
50ml water
2 sheets of gelatine, approximately 3g

In a medium saucepan heat, milk, water, butter and large strips of lemon zest from one lemon, to a simmer; as soon as the milk starts to bubble, remove the strips of zest and discard. Sprinkle the semolina into the pot, gradually, stirring constantly, reduce the heat on low and continue stirring until the mixture is thick; remove from the heat and set aside. In a large mixing bowl, combine the ricotta, eggs, caster sugar, finely grated zest, vanilla extract and mix well; gradually add the semolina mixture to the ricotta mixture, stirring well to create a smooth, creamy mixture. Butter a 24cm cake tin and transfer the mixture to the cake tin. Bake the cake in a preheated oven, 180 degrees, cook until the cake is firm and the top is golden, 45 – 60 minutes, cool cake down completely.

Glace: Combine the passionfruit pulp, water and sugar, bring to boil slowly making sure the sugar has melted, simmer for 10 minutes. Soak the gelatine sheets in cold water until soft, then add to the hot syrup, cool the syrup down and spread on top of the cake, serve when the glace starts to thicken.

TORTA DI RICOTTA E SEMOLINA

250ml latte
750ml acqua
80g burro
2 limoni
200g semolina
300g ricotta
3 uova
200g zucchero semolato
2 cucchiaini di essenza di vaniglia

Glassa ai frutti della passione: la polpa e il succo di 6 – 8 frutti della passione
100g zucchero semolato
50ml acqua
2 fogli di gelatine circa 3g

Riscaldate in una pentola capace, il latte, l'acqua, il burro e la buccia di un limone, tagliata a striscie larghe e portate a bollire, quando il latte quasi bolle, levate le striscie della scorza di limone, abbassate la fiamma e aggiungete la semolina un po alla volta mescolando continuamente, fino a quando avrete un miscuglio liscio e denso; levate dal fuoco e fate intiepidire. In un'altra ciotola, mescolate la ricotta, le uova, lo zucchero, la buccia di un limone grattugiata, l'essenza di vaniglia e mescolate bene; aggiungete la semolina tiepida al miscuglio con la ricotta e mescolate fino a quando avrete un impasto liscio e cremoso. Imburrate una teglia da forno dal diametro 24cm e versate l'impasto nella teglia; fate cuocere nel forno riscaldato, 180 gradi, per 45 – 60 minuti, fate raffreddare la torta completamente prima di guarnirla con la glassa dei frutti della passione.

Glassa: Mettete la polpa dei frutti della passione, l'acqua, lo zucchero, in un pentolino, fate bollire per 10 minuti, fate ammorbidire la gelatina nell'acqua fredda e aggiungetela nello sciroppo, mescolate bene, quando lo sciroppo e' freddo, mettetelo sulla torta, servite quando lo sciroppo e' denso.

Cakes / Torte

RHUBARB & SOUR CREAM CAKE (GF) WITH WALNUT CRUMBLE

125g soft butter
150g caster sugar
3 whole eggs
100ml sour cream
100g self-raising flour
150g almond meal
400g Rhubarb stalks cut in
2cm pieces

Crumble: 70g chilled butter
70g plain flour
50g brown sugar
75g walnuts, lightly crushed

In the bowl of an electric mixer, cream the soft butter and the caster sugar until thick and pale. Beat in the eggs, one at a time, then the sour cream, the flour and the almond meal. Last fold in the rhubarb pieces, and spread the mixture evenly in the cake tin.

For the crumble:
Rub the chilled butter into the remaining flour and the brown sugar until it resembles breadcrumbs, and then add the walnuts. Sprinkle the mixture over the top of the cake. Bake the cake in a preheated oven, 180 degrees for one hour. Cool the cake for a few hours before serving.

TORTA DI RABARBARO & PANNA (GF) ACIDA CON CRUMBLE DI NOCI

125g di burro morbido
150g zucchero semolato
3 uova intere
100ml di panna acida
100g farina lievitata
150g farina di mandorle
400g di rabarbaro tagliato a
pezzetti di circa 2cm

Per il crumble: 70g burro freddo, tagliato a pezzetti
70g di farina
50g zucchero grezzo
75g di noci tagliuzzate

Sbattere con le fruste elettriche il burro e lo zucchero semolato, fino a quando avrete un composto morbido e leggero. Aggiungere le uova uno alla volta, poi la panna acida, la farina, la farina di mandorle, e infine il rabarbaro a pezzetti. Mescolare bene e mettere il composto in una tortiera foderata con carta da forno.

Per il crumble:
Strofinare tra le mani il burro con la farina e lo zucchero, in modo che il composto diventa come briciole di pane, poi aggiungere le noci. Mettere il crumble sulla torta e cuocere a forno caldo, 180 gradi, per un'ora. Raffreddare completamente la torta prima di servire

Cakes / Torte

TIRAMISU - TRADITIONAL RECIPE

4 egg yolks
80g caster sugar
250g mascarpone cheese
400ml cream whipped firm
24 Savoiardi
500ml of cold coffee,
sweetened with 2
tablespoons of sugar
30ml of coffee liqueur
2 tablespoons Dutch Cocoa

Whisk the egg yolks with sugar and liqueur until the mixture is fluffy, about 5 minutes. Add the mascarpone and whisk for another 5 minutes, making sure all the ingredients are blended. Fold the whipped cream though the mixture.

Start assembling the Tirami Su. Soak the biscuits in the coffee briefly, shaking the excess coffee off before staring to line the tray. Line the tray with 8 biscuits and cover with 1/3 of the mixture, repeat process with another 8 biscuits, dip briefly in the coffee mixture and cover with 1/3 of mixture, make another layer of biscuits soaked in coffee and top with remaining mixture, smooth top and dust with Dutch cocoa. Tirami Su is better the next day, as the flavour is more intense.

TIRAMISU - RICETTA TRADIZIONALE

4 tuorli
80g zucchero semolato
250g mascarpone
400ml di panna montata a neve
24 Savoiardi
500ml di caffe' zuccherato
con due cucchiaia di zucchero
semolato
30ml di liquore al caffe'
2 cucchiaia di cacao amaro

Sbattete I tuorli con lo zucchero e il liquore nel mixer elettrico per 5 minuti, aggiungere il mascarpone e fate sbattere nel mixer per altri 5 minuti, aggiungete la panna montata e mescolate bene. Bagnate leggermente i Savoiardi nel caffe' metteteli su un piatto capace e aggiungete 1/3 della crema, ripetete questo processo con gli altri biscotti, dovrete fare 3 strati di 8 biscotti ciascuno. Quando avete esaurito i biscotti spolverate il Tirami Su con il cacao.

Cakes / Torte

TIRAMISU WITH MIXED BERRIES

4 egg yolks
80g caster sugar
250g mascarpone
400ml cream whipped firm
24 - 30 Savoiardi
30ml Maraschino liqueur
400g frozen mixed berries
80g caster sugar
60ml Maraschino liqueur
60ml water

Whisk the egg yolks with sugar and 30ml of Maraschino liqueur, until the mixture is fluffy, about 5 minutes. Add the mascarpone and whisk for another 5 minutes, making sure all the ingredients are blended. Fold the whipped cream though the mixture.

Put the frozen berries in a pot with 80g of caster sugar, 60ml of Maraschino liqueur, and 60ml of water, cook for 5 minutes, cool and strain through a fine sieve, this is for soaking the Savoiardi, start assembling the Tirami Su, I used a baking tin, 26cm diameter, lined with baking paper. Soak the Savoiardi, in the berry syrup briefly, line the tray with biscuits and cover with the Mascarpone mixture, repeat the process, make another layer of biscuits soaked in the berry syrup, top with Mascarpone mixture, smooth top and refrigerate overnight before serving, garnish Tirami Su as you like. Tirami Su is better the next day, as the flavour is more intense.

TIRAMISU CON FRUTTI DI BOSCO

4 tuorli
80g zucchero semolato
250g mascarpone
400ml di panna montata a neve
24 – 30 Savoiardi
30ml liquore Maraschino
400g di frutti di bosco congelati
80g zucchero semolato
60ml liquore Maraschino
60ml acqua

Mettete I frutti di bosco congelati in una pentola capace, con 60ml di liquore e 60ml di acqua, fate bollire a fuoco lento per 5 minuti; scolate lo sciroppo con un colino e mettete lo sciroppo da parte a raffreddare.

Sbattete I tuorli con lo zucchero e il liquore nel mixer elettrico per 5 minuti, aggiungere il mascarpone e fate sbattere nel mixer per altri 5 minuti, aggiungete la panna montata e mescolate bene. Bagnate leggermente i Savoiardi nello sciroppo di frutti di bosco, io ho usato una teglia a cerniera dal diametro 26cm, foderata con carta da forno, e metteteli sul fondo della teglia, mettete uno strato di crema di mascarpone, fate un'altro strato di Savoiardi bagnati nello sciroppo, mettete un'altro strato di crema di Mascarpone, decorate a piacere. Tenete il Tirami Su in frigo per 24 ore

Cakes / Torte

TORTA WITH PASTRY CREAM

Cake:
300g flour
200g caster sugar
100ml milk
4 eggs
120ml Canola oil
the rind and juice of one lemon
15g baking powder

Pastry cream:
1 egg
500ml milk
60g flour
120g caster sugar

Make the cream, mix the egg, sugar and flour in large bowl, then slowly add milk, making sure the mixture is smooth, cook in a small pot, on low heat, and mix continuously until the cream is thick, put cream in a flat plate, cover with cling film and refrigerate.

Make the cake, mix in the bowl of an electric mixer the eggs, and the sugar, mix for a few minutes then add the grated rind of the lemon and the lemon juice, then add slowly the vegetable oil, the milk and finally add the flour and the baking powder, mix well.

Spray with vegetable oil a baking tin, 24cm diameter; add the mixture, and then top with cream all over. Bake in a preheated oven, 180 degrees, for 40 minutes; cool the cake down and garnish with icing sugar and fresh fruit.

TORTA CON CREMA PASTICCIERA

Per la Torta:
300g farina
200g zucchero semolato
100ml di latte
4 uova, 120ml di Olio di Semi
la scorza grattugiata di un limone e il succo
15g di baking powder oppure una bustina di lievito Bertolini

Per la crema:
un uovo
500ml latte
60g farina
120g zucchero semolato

Preparate la crema amalgamando tutti gli ingredienti con le fruste elettriche, versate il miscuglio, in una pentola e fate cuocere a fuoco basso fino a quando la crema si addensera'. Versatela in un piatto, copritela con la pellicola e fatela raffreddare nel frigo.

Nel frattempo montate le uova con lo zucchero nel mixer elettrico, aggiungete la scorza grattugiata e il succo del limone, poi versate l'olio continuando a mescolare; unite il latte, la farina setacciate con il lievito e mescolate bene. Versate il composto in una teglia imburrata, dal diametro di 24cm, aggiungete la crema sopra la torta a cucchiaiate; fate cuocere la torta, a forno riscaldato, 180 gradi, per 40 minuti. Fate raffreddare la torta completamente, servite con zucchero a velo e frutta fresca a piacere.

WALNUTS AND CHOCOLATE CAKE

8 whole eggs
260g caster sugar
270g chocolate (55% cocoa butter)
400g walnuts ground in an
electric mixer
200g of toasted walnuts for
garnish
40g apricot jam
60ml water and chocolate curls
for garnish, and icing sugar

Beat eggs and sugar together until light and fluffy. Meanwhile melt chocolate in a bowl, over a baine marie, take off the heat and cool. Fold walnuts through egg mixture, and then add melted chocolate. Put mixture in a buttered cake tin, 24 – 26cm diameter. Cook in a hot oven, 160 degrees for 40 minutes.Cool the cake for 12 hours.

Put the jam and water in a small pot and bring to boil, cook for 5 minutes. Strain the liquid and then use to brush the surface of the entire cake. Top the cake with the walnuts, dust with icing sugar and some chocolate curls.

TORTA DI NOCI

8 uova
400g di noci macinate nel mixer
260g zucchero semolato
270g di cioccolato fondente (55% burro di cacao)
40g di confettura di albicocche
60ml di acqua
200g di noci intere tostate per guarnire
zucchero a velo e cioccolato per guarnire

Sbattere le uova con lo zucchero, fino a quando sono belle gonfie. Nel frattempo, sciogliete il cioccolato a bagno maria. Aggiungete le noci macinate e mescolate bene, quindi aggiungete il cioccolato sciolto; mettere l'intingolo in una teglia imburrata, dal diametro 24 – 26cm, fate cuocere a forno riscaldato, 160 gradi per 40 minuti; fate raffreddare la torta per 12 ore.

Mettete la confettura di albicocche e l'acqua in un pentolino e far bollire per 5 minuti. Colate con un colino e fate raffreddare. Spalmate la sciroppo sulla superficie della torta, guarnite con noci tostate, zucchero a velo e cioccolato a piacere.

Cakes / Torte

ZUPPA INGLESE

Cake:	**6 eggs (at room temperature)** **180g Caster sugar** **150g "00" flour** **1 teaspoon vanilla essence or vanilla bean** **25g melted butter** **one pinch salt** **Alchermes liqueur**
Pastry cream:	**1 litre of milk** **8 egg yolks** **200g caster sugar** **100g "00" flour** **1 teaspoon vanilla essence**
Chocolate pastry cream:	**100g of 55% cocoa butter chocolate** **1/2 litre of hot plain pastry cream**

Preheat oven 180C.

Sift flour 3 times so there are no lumps. Place eggs, sugar, vanilla essence and salt in a bowl of electric mixer and beat on high for 25 minutes. Fold flour gently through egg mixture without deflating mixture too much, and then fold melted butter.

Pour mixture in a cake tin, diameter 26cm, which has been lined with baking paper. Cook cake for 25 – 30 minutes. Cool cake for 24 hours before splitting, soaking with Alchermes liqueur, and filling with vanilla pastry cream and chocolate pastry cream.

ZUPPA INGLESE

Per la Torta:	**6 uova fuori dal frigo** **180g zucchero semolato** **150g farina "00"** **1 cucchiaino di essenza di vaniglia** **25g burro sciolto** **un pizzico di sale** **Alchermes**
Crema Pasticciera:	**latte 1 litro** **8 tuorli** **200g zucchero semolato** **100g farina "00"** **1 cucchiaino di essenza di vaniglia**
Crema Pasticciera al Cioccolato:	**100g di cioccolato** **½ litro di crema Pasticciera**

Riscaldate il forno a 180 gradi.

Setacciate la farina 3 volte, mettete le uova con lo zucchero, la vaniglia e il sale nel mixer elettrico e fate sbattere per 25 minuti, le uova devono risultare spumose. Aggiungete la farina, un po alla volta, senza sgonfiare l'impasto, poi aggiungere il burro.

Mettete l'impasto in una teglia dal diametro 26cm, che avrete imburrato e foderato con carta da forno, mettete la torta, nel forno riscaldato, e fate cuocere per 25 – 30 minuti. Fate raffreddare la torta, per 24 ore, prima di bagnare con l'Alchermes e farcire con la crema Pasticciera alla vaniglia e la crema Pasticciera al cioccolato.

Pastry cream:

Whisk egg yolks with sugar until creamy. Then slowly add flour until mixed well. Meanwhile bring milk and vanilla essence to simmering point. Remove milk from heat and add to egg mixture, making sure mixture is smooth. Put mixture back into pot and bring mixture back to boil, simmer until mixture thickens. Cool and use as required.

Chocolate pastry cream:

Add 100g of 55% cocoa butter chocolate to half a litre of hot plain pastry cream and mix well until the chocolate has melted and the mixture is smooth.

To soak the layers of the cake, I use Alchermes liqueur.

Crema pasticciera:

Sbattete I tuorli, con lo zucchero, fino a quando sono cremosi, poi aggiungete la farina. Mettete il latte con l'essenza di vaniglia in una pentola e fate bollire. Levate il latte dal fuoco e aggiungetelo alle uova, mescolate bene. Rimettete il liquido, in una pentola pulita, e fate cuocere a fuoco basso, fino a quando la crema sara' densa, fate cuocere per altri 5 minuti, poi fate raffreddare.

Crema pasticciera al cioccolato:

Per fare la crema pasticciera al cioccolato, dovrete aggiungere 100g di cioccolato fondente a mezzo litro di crema pasticciera bollente, fate sciogliere il cioccolato, mescolate bene, coprite con la pellicola e fate raffreddare.

Per bagnare la torta usate l'Alchermes oppure il vostro liquore preferito.

Temperature Conversion

Fahrenheit (F)	Electric Celcius (C)	Electric Fan Forced (C)	Gas
250	120	100	1
300	150	130	2
325	160	140	3
350	180	160	4
375	190	170	5
400	200	180	6
450	230	210	7

Liquids

Cup	Imperial	Metric
1/4 cup	2 fl oz	60 ml
1/3	2 3/4 fl oz	80 ml
100 ml	3 1/2 fl oz	100 ml
1/2 cup	4 fl oz	125 ml
	5 fl oz	150 ml
3/4 cup	6 fl oz	180 ml
	7 fl oz	200 ml
1 cup	8 3/4 fl oz	250 ml
1 1/4 cup	10 1/2 fl oz	310 ml
1 1/2 cup	13 fl oz	375 ml
1 3/4 cup	15 fl oz	430 ml
	16 fl oz	475 ml
2 cups	17 fl oz	500 ml
2 1/2 cups	21 1/2 fl oz	625 ml
3 cups	26 fl oz	750 ml
4 cups	35 fl oz	1 l
5 cups	44 fl oz	1.25 l
6 cups	52 fl oz	1.5 l

Weight

1/4 oz	8 g		10 oz	315 g
1/2 oz	15 g		11 oz	345 g
1 oz	30 g		12 oz	375 g
2 oz	60g		13 oz	410 g
3 oz	90 g		14 oz	440 g
4 oz	125 g		15 oz	470 g
5 oz	155 g		16 oz	500 g
6 oz	185 g		24 oz	750 g
7 oz	220 g		32 oz	1 kg
8 oz	250 g		48 oz	1.5 kg
9 oz	280 g		64 oz	2 kg

Cups and Spoons

1 metric tablespoon = 20 ml

1 metric teaspoon = 5 ml

1 cup = 250 ml (8 fl oz)

www.adelinaskitchen.com.au
Adelina's Kitchen Dromana

CPSIA information can be obtained
at www.ICGtesting.com
Printed in the USA
BVOW05s0134031117
499449BV00016BA/110/P